ONTMOETING IN DE NACHT

Evelien van Dort

Callenbach

© Uitgeverij Callenbach – Kampen, 2009
Postbus 5018, 8260 GA Kampen
www.kok.nl

Omslagillustratie Irene Goede
Omslagontwerp Hendriks.net
Illustraties binnenwerk Irene Goede
Voor meer info www.irenegoede.nl
Layout/dtp Gerard de Groot
ISBN 978 90 266 1549 8
NUR 283
Leeftijd 10-12 jaar

Alle rechten voorbehouden. Niets uit deze uitgave mag worden verveelvoudigd, opgeslagen in een geautomatiseerd gegevensbestand, of openbaar gemaakt, in enige vorm of op enige wijze, hetzij elektronisch, mechanisch, door fotokopieën, opnamen, of op enige andere manier, zonder voorafgaande schriftelijke toestemming van de uitgever.

1.

In de verte ziet Celeste nog net het rood-wit gestreepte surfzeil van Coen, haar broer. Het driehoekige zeil beweegt snel over het water. Plotseling is de gekleurde driehoek verdwenen. Als Coen maar niet afdrijft naar de stuw...

Gisteren, toen ze naar de camping reden, zag ze de stuwdam liggen. Het is een enorme muur in het water. Aan de ene kant ligt het meer en aan de andere kant stort het water omlaag in een rivier.

Een klodder nat zand valt op haar handdoek. Vlak voor haar graven twee kinderen een kuil. 'Hallo zeg. Kijk eens uit!' zegt ze.

De kinderen letten niet op haar. Ze verstaan geen Nederlands. Logisch, ze praten samen Frans.

Frans: dat krijgt ze na de zomer pas als ze naar de middelbare school gaat. Nou ja, ze kent een paar woorden: *bonjour, du pain* en *au revoir*. Net genoeg om te overleven.

Celeste heeft echt zin in het komende schooljaar. Vooral omdat ze met Kim in de klas zit en met Jan en Hugo. Haar beste vrienden van de basisschool. Mazzel dat ze alle vier dezelfde school hebben gekozen.

Sinds het schoolkamp van groep acht is het aan met Hugo. Kim en Jan gaan ook met elkaar sinds een paar weken. Celeste trok altijd al met Hugo op, alleen nu is het anders... Een beetje spannend, terwijl ze elkaar al vanaf groep één kennen. En ook een beetje ingewikkeld. Celeste ritst haar tas open en kijkt op haar mobiel. Ze heeft al twee dagen geen sms'je van Hugo gehad. Is hij haar vergeten?

Ze legt haar handdoek een stukje verder bij de kinderen vandaan en gaat op haar buik liggen. Yes, het zeil van Coen schiet vlakbij over het water. Hij zeilt langs een soort vierkant bouwsel. Is het een aanlegplaats voor surfers?

3

Eén van de kinderen springt over haar heen. Celeste voelt zand op haar rug kleven. Nu is ze het zat! Ze heeft absoluut geen zin meer om tussen de kleuters te zonnen. Moet ze zich hier nog de hele ochtend vervelen?

Celeste kijkt op haar horloge, halftien. Papa en mama zijn boodschappen doen en komen pas aan het einde van de morgen terug. Ze vouwt haar handdoek over haar tas en loopt naar het water.

Dicht bij het strand is het water lekker warm, iets dieper wordt het kouder. Celeste staat tot haar middel in het water en wacht even om te wennen. Ze ziet rode balletjes aan een koord drijven. Het ondiepe water is afgezet voor de kleine kinderen.

Er zijn nog twee surfers. Het zeil van de een is blauw en dat van de ander geel. Ze zeilen om het bouwsel heen. Het lijkt op een vlonder. Zou ze ernaartoe kunnen zwemmen? Celeste schat de afstand op tien minuten zwemmen. Ze duikt onder de afzetting door en zwemt zo hard ze kan. Het water is kouder dan ze had verwacht. Het bouwwerk ligt ook verder dan ze gedacht had.

Na een tijdje zwemmen draait ze op haar rug en kijkt naar het strandje. Ze kan haar badhanddoek niet meer onderscheiden. Ze hoort geen kinderen meer lachen en schreeuwen. Dan kunnen ze haar ook niet meer horen als ze roept! Celeste schrikt even van

die gedachte. Rustig verder zwemmen, zegt ze tegen zichzelf. Je bent er bijna. Op het bouwwerk kun je uitrusten.

Aan een kant van het bouwwerk is een zwemtrapje. Celeste pakt de leuning en zet haar voeten op de treden. Ze trekt zich op en klimt op het platform. Wauw, wat een mooi uitzicht! Aan de ene kant de camping met het strandje en verderop strekken bossen zich uit tot aan de oever van het meer. Ze heeft een heerlijk rustig plekje gevonden om te zonnen.
De surfers varen een stukje verderop. Celeste zwaait. Heeft Coen haar gezien? Ze wacht even. Het rood-witte zeil komt niet dichterbij. Dan niet, denkt Celeste.
Ze strekt zich uit op het platform. Het witgeverfde oppervlak voelt glad aan. De zon schijnt lekker warm. Jammer dat ze niet samen met Kim is! Haar vriendin houdt wel van relaxte avontuurtjes.
Celeste schrikt opeens op. Ze kijkt verbaasd om zich heen. Het platform beweegt op de golven heen en weer. In de verte ziet ze een speedboot met een wit schuimspoor.
De speedboot komt dichterbij. Ze hoort iemand roepen. Een jongen op een surfplank met een blauw zeil vaart naar het platform toe. Hij zwaait naar haar en roept iets. Zijn stem komt niet boven het gebulder van de motoren van de speedboot uit. Celeste begrijpt er niets van. Ze draait zich op haar buik en ziet in een flits iets op zich afkomen… Ze rolt door naar de rand. Vlak langs haar vliegt een waterskiër over het platform. Ze voelt de wind en hoort het gekras van de ski's over het hout. Haar hart bonkt in haar keel en ze voelt tranen in haar ogen.
'Go away! Danger!' roept de jongen. Hij laat zijn surfzeil los zodat de plank stilligt en springt in het water. In de verte hoort ze de speedboot weer naderen. Celeste springt van het platform af, ze gaat kopje onder, krijgt een slok water binnen en zwemt hoestend naar de surfplank toe.
Ze pakt de mast en steunt met haar andere arm op de plank. Haar lijf bibbert van de schrik.

5

'Rotboot!' hoort ze de jongen foeteren. Gelukkig is hij ook Nederlander.

'Wat... wat was dat?' stamelt Celeste.

'Dat was op het nippertje,' zegt de jongen. Hij hangt aan de andere kant met zijn armen op de plank. 'Weet je niet dat het een springschans is voor waterskiërs?'

Celeste schudt van nee. Ze wil niet huilen, maar ze kan de snikken niet tegenhouden. Ze kijkt door haar tranen naar het platform. De speedboot vaart er aan de andere zijde langs. De man erachter gaat dwars over het platform, precies waar ze lag te zonnen. De waterskiër vliegt door de lucht en skiet weer verder.

'De speedboot heeft je niet gezien,' zegt de jongen. 'Zwemmen is hier verboden, alleen surfen en zeilen is toegestaan.'

'Wist ik veel.'

'Ben je alleen?'

'Mijn broer heeft een rood-wit gestreept zeil,' antwoordt Celeste.

'Hij heet Coen. O ja, ik heet Celeste.' Ze kijkt de jongen aan.

'Daan Linthorst uit Amsterdam,' zegt hij. 'Op school noemen ze me "de lintworm" omdat ik lang en dun ben.'

'Op school,' herhaalt Celeste. Ze trekt zich iets hoger op de plank en veegt haar natte haar uit haar gezicht. 'We hebben nu toch vakantie.'

Daan kijkt haar lachend aan. 'Zit jij al op de middelbare?'

'Na de zomer ga ik naar de eerste. En jij?'

'Ik ga naar twee gymnasium.'

'Is dat leuk?'

'Hoezo?'

'Ik mocht van mijn ouders ook gymnasium doen. Maar ik wilde liever bij mijn vrienden blijven. Ik ga naar een scholengemeenschap. En Grieks lijkt me ook een beetje ingewikkeld.'

'Ja, het zijn wel rare letters,' zegt Daan. Hij kijkt om. 'We drijven af.'

Celeste ziet dat het platform een stuk verderop ligt. Het rood-witte zeil komt naar hen toe.

'Coen!' roept Celeste. 'Coen!'

Coen vaart tot vlak naast de plank van Daan en laat zijn zeil los. Hij hurkt neer en houdt de andere plank vast.

'Wat doe jij hier?'

'Ik ben door Daan gered,' antwoordt Celeste. Ze klimt op de brede plank van haar broer.

'Ze lag te zonnen op de springschans,' legt Daan uit.

'Dat heb ik niet gezien,' zegt Coen. 'Dat is link! Weet je niet dat …'

'We zeilen naar het haventje,' zegt Daan. 'Anders drijven we af naar de bosrand.'

'Je mag niet terugzwemmen,' zegt Coen bezorgd. 'Die lui letten echt niet op zwemmers.'

'Wil je een lift?' vraagt Daan.

'Mijn plank is breder,' zegt Coen. 'Ik heb nog een model uit de twintigste eeuw.

Houd je goed vast aan mijn surfplank.' Hij steekt zijn duim op naar Daan als teken dat het in orde komt. Coen trekt zijn mast met het zeil uit het water, pakt de giek en stuurt de plank vooruit. Celeste klemt haar handen om de rand van de plank. Door haar gewicht ligt de achterkant van de surfplank onder water. Ze moet zich goed vasthouden om er niet afgespoeld te worden. Coen heeft zijn voeten aan weerszijden van de mast staan. Hij houdt de plank mooi recht. 'Gaat het?' vraagt hij.

'Het is cool!' zegt Celeste. Ze vindt haar broer best stoer.

Naast het haventje is een aanlegplaats voor surfers. De jongens trekken de surfplank op het strand. Daan maakt zijn zeil los.

'Mooie plank heb je,' zegt Coen. 'Gebruik je die voetbanden?'

'Ja, het is een allroundplank,' vertelt Daan. 'Met harde wind heb ik de voetbanden wel nodig, anders word ik gelanceerd. De plank is honderd liter.'

Daan tilt de plank van Coen een stukje op. 'De jouwe is zeker honderdvijftig. Een zwaardere plank is stabieler, je kunt er zelfs met zijn tweeën op. Dat hoef ik niet te proberen.' Daan kijkt Celeste lachend aan.

'Kun je ook surfen?'

'Niet echt.' Celeste slaat haar armen om haar bovenlijf. Ze voelt zich een beetje bibberig.

'Ik ga naar het zwemstrandje, daar liggen mijn spullen nog.' Ze draait zich om en loopt terug.

2.

'Hoi helden.' De vader van Coen en Celeste stapt uit zijn auto. 'We hebben eten voor een week ingeslagen.' Hij pakt twee tassen met boodschappen uit de achterbak.

'Hebben jullie het naar je zin gehad?' vraagt mama. Ze slaat het portier dicht.

'Het is een super surfmeer,' zegt Coen enthousiast. Hij staat op en helpt papa een tas met boodschappen door het smalle deurtje van de caravan tillen. 'Zet zoveel mogelijk eten in de koelkast,' zegt mama.

Ze kijkt naar Celeste. 'Heb je lekker gezwommen?'

Coen springt de caravan uit. 'Ze is gered door ene Daan!' roept hij.

'Doe normaal,' snauwt Celeste.

Papa legt stokbrood en brie op tafel. 'Avonturen?' vraagt hij en trekt de tafel in de schaduw van de voortent. Coen breekt een stuk stokbrood af.

'Wacht, eerst even borden pakken,' zegt mama.

'Fransen gebruiken alleen een plank om brood te snijden,' zegt papa.

'Ja mams, dat scheelt weer afwas,' zegt Coen. Mama haalt een snijplank en een broodmes uit de caravan. Even later zitten ze met zijn vieren aan tafel.

Wat is er nou precies gebeurd?' vraagt ze.

'Ze is op de skischans gaan zonnen,' antwoordt Coen. 'Daan heeft haar net op tijd gewaarschuwd, anders dan…'

'Wie is Daan?' vraagt papa.

'Celeste! Wat heb je nou weer uitgespookt!' zegt mama verschrikt. 'Gebruik je verstand toch eens.'

'Op het strandje was het nogal druk,' zegt Celeste. 'Op dat bouwsel lag ik rustig totdat…'

'Een speedboot met twee motoren,' roept Coen erdoorheen.

'Weet je hoeveel pk dat is? Wel honderdtachtig! Die boot maakt enorme golven. Het leek wel of ik op de oceaan surfte.'

'Maar dat is toch enorm gevaarlijk voor zwemmers,' zegt papa.

'Het zwemwater is afgezet met een draad met rode balletjes,' zegt Celeste.

Mama en papa kijken elkaar even aan. 'Dus jij bent onder die draad door gezwommen...' concludeert papa. 'Dat had ik niet van je verwacht. Zo'n draad hangt er toch niet voor niets.'

'Wist ik veel,' zegt Celeste. 'Ik had geen zin meer om tussen de kleuters te liggen. Na vijf minuten verveel ik me rot op zo'n suf babystrandje. Ik wou dat ik ook kon surfen, maar ik weet niet of ik het wel durf op het grote meer.' Ze trekt haar schouders omhoog. Waarom reageren mama en papa zo raar? Eerst willen ze alles weten, dan schrikken ze en krijgt ze een standje. Misschien moet ze maar niets meer vertellen...

'Dus die Daan is de echte held,' zegt mama.

'Mam, niet zo hard. Hij komt er net aan.' Een jongen in een halflange broek en T-shirt zonder mouwen loopt naar de familie toe.

'We hadden het net over jou,' zegt mama.

Celeste stoot haar aan. 'Mam, dat zeg je toch niet.' Ze schaamt zich kapot.

Daan stelt zich voor aan mama en papa. 'Eet smakelijk,' zegt hij beleefd. 'Bedankt voor je reddingsactie,' zegt papa.

'Graag gedaan,' zegt Daan. 'Die waterskiërs zijn bloedlink. Ze letten op niets en niemand. Heel asociaal.' Daan richt zich tot Coen en Celeste. 'Hé, gaan jullie mee met de survivaltocht van de camping? Die begint om vijf uur bij het kantoortje.'

'Hmm... We zijn met school op survivalkamp geweest,' vertelt Celeste. 'We gingen met een vlot de rivier af.'

'Gaat deze tocht over land of water?' informeert papa.

'Het is gewoon een wandeling,' antwoordt Daan. 'Niets gevaarlijks aan. Ze noemen het survival omdat het spannend klinkt.'

'Zijn jullie voor het avondeten weer terug?' vraagt mama.

'Onderweg gaan we barbecueën bij een kampvuur. Om elf uur is het programma pas afgelopen. Het is trouwens mijn laatste avond hier, morgen trekken we verder,' zegt Daan.

'Jammer,' zegt Celeste zachtjes. Ze heeft het gezegd voor ze er erg in heeft. Hebben de anderen het gehoord?

Coen praat met Daan over surfen. 'In de middag is er nooit wind,' vertelt Daan. 'De beste wind is 's morgens vroeg voor tienen.' Hij maakt aanstalten om verder te gaan.

'Nou, mogen we mee wandelen?' vraagt Celeste.

Mama knikt. 'Wel je mobiel meenemen, dan ben je bereikbaar.'

'Goed,' zegt papa. 'Alleen geen gevaarlijke avonturen.' Hij geeft Daan een knipoog. 'Ciao. Tot vanavond,' groet Daan.

'Ik loop straks wel even mee,' zegt mama. 'Ik wil weten wat voor jongelui er nog meer gaan survivallen.'

'Mam, doe normaal,' zegt Celeste. Ze moet er niet aan denken dat mama haar wegbrengt.

'Ik ga al naar de tweede,' zegt Coen. 'Ik ga toch samen met Celeste?'

'Hé, Daan is net zo oud als jij,' zegt Celeste. 'Volgend schooljaar gaat hij naar twee gymnasium.'

'Het lijkt me een aardige jongen,' zegt mama.

Celeste kijkt in gedachten voor zich uit. Wat weet mama er nou van. Ze oordeelt over iemand die ze nog maar twee minuten gezien heeft. 'Waarom zegt u dat?' vraagt ze.

'Daan heeft je toch gered?' zegt Coen lachend.

'Nee,' zegt Celeste. 'Mama zegt het omdat hij op het gymnasium zit. En dat vind ik nou zo'n onzin. Sam uit groep acht gaat naar het vmbo, hij is echt de aardigste jongen die ik ken. Als je slim bent, hoef je niet aardig te zijn!'

'Onzin,' zegt mama. 'Daan komt gewoon sympathiek over.'

'Ik dacht dat je Hugo zo leuk vond,' zegt papa.

'Papa, bemoei je er niet mee.' Celeste staat zo snel op dat haar stoel naar achter valt en de tafel heen en weer schudt.

'Rustig maar,' zegt mama. 'De boel hoeft niet omver. Ga maar even afkoelen in je tent.'

'De tent is bloedheet,' zegt Coen grijnzend. Hij staat ook op. 'Ik ga mijn surfspullen opruimen.' Papa loopt met hem mee.

Mama schenkt een glas cola voor Celeste in.

'Wat is er?' vraagt ze.

Celeste trekt haar schouders op. 'Ik weet het ook niet,' zegt ze. 'Coen heeft meteen een vriend. Ik voelde me best dom vanmorgen. Net of ik niet op mezelf kan letten. En als u dan ook nog gaat zeggen dat ik mijn verstand moet gebruiken...'

Mama knikt. 'Ja, ja,' zegt ze zachtjes.

'Het klinkt misschien raar, maar ik weet ook niet precies of ik iets wel leuk vind.'

'Bedoel je de wandeling?'

'Ja, misschien ben ik wel het enige meisje. Ik ken alleen Coen, nou ja, en Daan. Er zijn wel Franse kinderen op de camping, maar Frans versta ik niet en ik kan en durf het ook niet te spreken.'

'Wat wil je dan?'

'Samen met Kim met de survivaltocht mee. Ik mis haar echt. Gisteren heb ik nog een sms'je gehad. Ze verveelt zich thuis. En van Hugo heb ik al heel lang niets gehoord...'

'Maak je niet druk om Hugo. Misschien is zijn beltegoed gewoon op. En Kim is een heel fijne vriendin,' zegt mama.

Celeste knikt opgelucht. Mama begrijpt haar. Ze gaat gelukkig geen peptalk houden over hoe leuk het is om nieuwe jongelui te ontmoeten. Of hoe leerzaam het is om Frans te spreken.

3.

'**K**om je nog?' Coen schudt de tentpaal heen en weer. Celeste steekt haar hoofd uit de tent. 'Staat dit witte T-shirt goed of zal ik mijn blauwe sweater aandoen? Ik kan niet kiezen.'
'Dan trek je ze allebei aan.'
'Yes.' Celeste kruipt uit haar tent. Ze knoopt de sweater om haar middel.
'Veel plezier,' zegt mama.
'Toi, toi,' zegt papa. Ze turen op een kaart van de omgeving.
Coen en Celeste lopen naar de ingang van het campingterrein. Bij het kantoortje staat een groepje jongelui en wat leiding. Ze hoort de meeste kinderen Frans spreken. Daan staat met een andere jongen te praten. 'Dit is Floris,' zegt hij.
'Vaar jij met een geel zeil?' vraagt Coen.
'Ja. Ik heb ook nog een zwart stormzeiltje,' vertelt Floris. 'Voor windkracht zes.' De jongens praten over surfen in de storm.
Celeste luistert half naar het gesprek. Ze ziet geen andere blonde meisjes. De meisjes van haar leeftijd zijn donker, dus Frans. Ze kan beter teruggaan naar de caravan… Maar nee, dan zit ze de hele avond met haar ouders opgescheept, dat is ook niets.
'Wat kijk je ernstig,' zegt Daan.
'Sorry,' zegt Celeste. 'Ik ken geen woord Frans.'
Je m'appelle Daan.'
'Ja hoor, dat weet ik ook wel.'
'Quel âge as-tu?'
'Doe niet zo interessant,' zegt Celeste lachend.
De groep zet zich in beweging. Ze slaan een pad in en klimmen langs de bosrand omhoog. De Franse kinderen lopen voorop. Ze zingen een lied. Coen, Floris, Daan en Celeste lopen met zijn vieren. De jongens praten weer over surfen. Celeste snuift de boslucht op. Krekels tsjilpen en boven het meer kleurt de lucht al

roze van de laatste zonnestralen. Celeste zet haar zonnebril op haar voorhoofd. Zonder bril zijn de kleuren nog mooier. Het licht van de zon geeft kleur, of ziet ze kleur met haar ogen? Mensen die kleurenblind zijn zien alles zwart-wit, net als in een oude film.

'Mooi hè?' zegt Daan.

'Ja, super. Alleen die stuwdam vind ik lelijk,' zegt Celeste. 'Dat ding hoort niet in het mooie meer te staan.'

'Zonder dam is er geen meer,' zegt Daan. 'Misschien is het meer wel extra mooi omdat die dam lelijk is.'

Celeste kijkt tussen haar losse haren opzij. Meent Daan het nou? Ja, hij kijkt serieus en vraagt: 'Wat vind jij?'

Celeste schiet in de lach. 'Wat een moeilijk verhaal,' zegt ze. 'Ik dacht dat ik de enige was met dat soort ingewikkelde gedachtes in mijn hoofd.'

Daan kijkt haar vragend aan.

'Nou, ik dacht altijd dat de zon alles mooi maakt en kleur geeft. 's Nachts als de zon onder is zie je geen kleur. Of heeft het meer een blauwe kleur van zichzelf?'

'Nee,' antwoordt Daan. 'Water is doorzichtig. De breking van het licht geeft kleur. Dat heb ik met natuurkunde gehad. Maar wat je ziet heeft ook met jezelf te maken.'

'Hoezo?'

'Jij vindt de stuwdam lelijk, maar ik vind de dam supermooi gebouwd.'

'Dan heb je gewoon een andere mening,' zegt Celeste. 'Ik vind bijvoorbeeld het blauw van het water mooi omdat het mijn lievelingskleur is.'

'Blauw is ook mijn lievelingskleur.'

'Dat wist ik al,' zegt Celeste.

'Hoezo?'

'Je surfzeil is toch blauw.'

Het pad loopt langs een wit huisje. In de tuin bloeien stokrozen. Een hond springt blaffend tegen het ijzeren hek op.

'Achter het huis ligt een oud kerkje,' vertelt Daan. 'Met heel mooie glas-in-lood ramen. Ik heb het met mijn ouders bezocht. In de

14

reisgids staat dat pelgrims deze kerk bezochten omdat ze van de kleuren energie kregen.'

'Ik kan wel wat energie gebruiken,' zegt Celeste. 'Best vermoeiend, dat lopen.'

'Zullen we even kijken? We zijn al vlakbij de kampvuurplek van de barbecue.'

Coen en Floris lopen een meter of tien verder op. 'Coen, we kijken even bij de kerk!' roept Celeste. Coen steekt zijn hand op als teken dat hij haar gehoord heeft.

Daan slaat een smal zijpaadje in. Ze lopen langs een oude muur. Tussen de stenen groeien plantjes. Een hagedisje rent over de muur. Celeste klimt op een losse steen en kijkt over de rand.

'Een kerkhof,' fluistert ze. De grafzerken zijn overwoekerd met planten en bloemen. Ze ruikt de geur van kruidige planten. Daan klimt ook op de steen. Ze blijven even staan kijken. Het kerkje ligt naast het kerkhof. Het is tegen de heuvel aangebouwd en gemaakt van grote vierkante rotsblokken. In de open toren hangt een klok. Een kraai vliegt uit de toren omlaag en strijkt neer op een rotsblok. De vogel houdt zijn kop scheef en krast luid.

'We worden begroet,' zegt Daan.

'Het is net of alles hier niet echt is,' zegt Celeste zachtjes. 'Net of ik droom.'

Daan duwt de ijzeren klink naar beneden en de grote houten deur van de kerk gaat krakend open. Celeste moet even wennen aan het donker. Ze ziet een ruimte met banken links en rechts van het gangpad. Voorin de kerk brandt een kaars. Daarboven schijnt licht door prachtig gekleurde ramen.

Daan loopt een stukje naar voren en gaat op een bank zitten. Celeste gaat naast hem zitten. Ze ziet in het gekleurde glas afbeeldingen van Bijbelverhalen. Op het eerste raam staan Maria en het kindje Jezus. Op het volgende raam is de vlucht naar Egypte afgebeeld. De kleine ezel stapt langs een weg vol kleuren, vast bloemen. Celeste buigt haar hoofd naar achter. In een hoog rond raam ziet ze een voorstelling van een engel met een harp. De engel zweeft in een hemel met sterren.

'De kleuren zijn prachtig,' zegt Celeste zachtjes. 'Het lijkt wel of de ramen heel dichtbij zijn. Of ik ze aan kan raken.'

Het is stil in de kerk. Heel ver weg klinkt het gekras van de kraai. Celeste kijkt opzij. Daan zegt niets. Grappig, hij is niet een jongen die altijd zichzelf moet horen praten. Hij zit gewoon rustig te kijken.

'Vraag jij je wel eens af of...' Celeste twijfelt even hoe ze het moet zeggen. 'Of alles om je heen wel echt is. Of het niet een droom is?'

Daan knikt. 'Op school hebben we het over Plato gehad, dat is een Griekse filosoof, een wijze man, die leefde in 400 voor Christus. Volgens hem kan het zijn dat alles wat we zien niet echt is, maar een idee in ons hoofd. We zien niet een stoel, maar we dénken dat we een stoel zien. Volgens mij bedoelt Plato hetzelfde als wat jij nu zegt.'

'Nou dan heb ik wel een heel ouderwetse gedachte als iemand zó lang geleden dat ook al dacht,' zegt Celeste lachend.

'Interessant hè?' zegt Daan. 'We kunnen nu in een vliegtuig vliegen, maar we denken nog dezelfde dingen als mensen die lang geleden leefden en niet eens wisten wat een vliegtuig was.'

De kleuren van de ramen vervagen. De kaars flikkert even en dooft langzaam uit. 'Zullen we maar eens gaan?' zegt Celeste.

Buiten horen ze voetstappen. De deur van de kerk gaat een stukje open en weer dicht. Het slot knarst en de voetstappen verwijderen zich. Daan rent naar de deur en trekt aan de klink.

'Dicht,' zegt hij.

'Hé, hallo *monsieur*,' roept Celeste. Haar geroep klinkt een beetje vreemd in de stille kerk.

'De man hoort ons niet meer,' zegt Daan. 'Hij heeft de kerk afgesloten en loopt snel naar huis. Morgenochtend maakt hij het kerkje weer open.'

'En?'

'We zitten opgesloten,' zegt Daan. 'Wat nu?'

Celeste kijkt rond. De gekleurde ramen kunnen niet open. De

muren zijn dik en de deur is van zwaar eikenhout gemaakt.

'Ik ga mijn ouders echt niet bellen,' zegt ze vastbesloten. 'Ik heb geen zin in gezeur.'

'Heeft Coen zijn mobiel mee?'

'Yes, even mijn broertje bellen,' zegt Celeste opgewekt en pakt haar mobiel. Ze zoekt het nummer van hem. 'Geen bereik,' zegt ze giechelend. Intussen probeert Daan Floris te bellen. 'Je hebt gelijk. Misschien zitten we net te hoog...'

'En nu?'

'Coen en Floris gaan ons wel zoeken,' zegt Daan. 'We wachten gewoon tot we gered worden. We kunnen toch niets anders doen.'

4.

C eleste en Daan gaan weer zitten. Het wordt langzaam don-
ker buiten. Alleen de zwevende gestalte van de engel is nog
zichtbaar. Het raam vangt de laatste zonnestralen.
'Geloof jij dat engelen echt bestaan?' vraagt Celeste.
'Dat weet ik niet,'zegt Daan. 'Wanneer is iets echt?'
'Als je het kunt zien,' antwoordt Celeste.
'Wat jij niet kunt zien, ziet een ander misschien wel.'
'Misschien zagen de mensen vroeger meer dan nu,' zegt Celeste.
Ze denkt na. Hoeveel mensen hebben dit kerkje bezocht? Al die
mensen hebben op de houten bank gezeten en naar de prachtig
gekleurde ramen en het raam met de engel gekeken. Zou dat de
energie in het kerkje zijn?
'Als iedereen iets vindt, is het ook waar,' zegt Daan.
'Is dat zo?'
Daan trekt zijn schouders op. 'Ja, vaak wel.'
Nu moet Celeste aan Naomi van de basisschool denken. Op
schoolkamp vond de hele groep dat ze zich aanstelde. Achteraf
was dat helemaal niet zo.
'Nu snap ik het,' zegt Celeste. 'Als iedereen dezelfde mening
heeft, wordt die mening vanzelf een feit. Dan is het zo, maar dat
hoeft dus niet waar te zijn.'
'Klopt.'
'Heb jij ook dorst en honger?'
'Ja, ik heb wel zin in een colaatje en een hotdog,' zegt Daan. 'Op
de barbecue roosteren ze spareribs en kippenpootjes.'
'Ik vind het Franse stokbrood lekker,' zegt Celeste. 'Met van die
kaasjes en salami. Als we nou heel hard aan Coen en Floris denken, aan het idee dat ze ons gaan zoeken, werkt dat?'
'We proberen het gewoon,' zegt Daan.

Na een tijdje zegt Celeste: 'Ik denk steeds aan lekkere dingen. Dat lukt me beter.'

'Ik heb ook nogal honger.' Daan loopt naar de deur, rammelt aan het slot en gaat weer zitten. In de kerk is het nu bijna helemaal donker.

'Het spijt me dat we hier vastzitten,' zegt Daan.

'Wat kun jij er nou aan doen,' zegt Celeste.

'Het was mijn plan om naar de kerk te gaan.'

'Ik had dit niet willen missen,' zegt Celeste. 'Ik bedoel de mooie kleuren en zo.'

Buiten klinkt de roep van een vogel, ver weg.

'Ben je bang?' vraagt Daan.

'Nee, helemaal niet.' Zijn arm raakt de schouder van Celeste. Even hoopt ze dat ze nooit gevonden worden. Dat de tijd zo lang duurt als de eeuwigheid en er niets verandert. Ook al is de kerk nu helemaal donker. In gedachten ziet ze de kleuren nog.

Opeens horen ze stemmen. Celeste schiet overeind. 'Dat is Coen, ik herken zijn stem! Coen!' roept ze zo hard ze kan. Daan loopt naar de deur en bonkt met twee handen op het hout.

'Hé, Celeste en Daan,' klinkt er buiten.

Ze horen ook Frans praten. Even later gaat de deur open. Celeste en Daan stappen naar buiten. 'Reddingsactie twee,' grapt Coen.

Floris schijnt met zijn zaklantaarn in hun gezichten. 'Was het gezellig...?'

'Hou op.' Celeste duwt de lantaarn naar beneden.

Een Franse jongen praat met een oudere man. Hij sluit de kerk weer af en rammelt met zijn sleutelbos.

'Ça va?' zegt de man. 'Excusez-moi.' Ze lopen het pad terug langs het kerkhof. Coen klappert met zijn tanden.

'Doe niet zo eng.' Celeste geeft hem een por in zijn rug.

Even later zitten ze rond het kampvuur. De barbecue is al lang afgelopen. Er zijn nog wat restjes van de maaltijd over. Celeste neemt een paar geroosterde kippenpootjes en een stuk stokbrood. Daan heeft zichzelf een bord vol spareribs opgeschept. Hij vertelt over de plotselinge opsluiting. 'Wat hebben jullie eigenlijk gedaan?' vraagt Floris.

'Gewoon, een beetje gepraat,' antwoordt Celeste. 'Wat anders?'

'Ze zaten wel in een kerk,' zegt Coen. Hij pakt een sparerib van Daans bord.

'Hoeveel heb jij er al op?' vraagt Daan.

'*Quarantesicent* of zo. Heb jij die worstjes al geprobeerd?'

'Pure knoflook,' geint Floris en laat een boer. 'Lintworst, wil je een worstje?'

Hij lacht om zijn eigen grapje.

'Doe niet zo dom,' zegt Celeste. Ze vindt het raar dat Floris de naam van Daan belachelijk maakt. Daan reageert niet.

Hij praat met een Franse jongen. Celeste luistert naar het gesprek. Ze kan er niets van verstaan. Nou ja af en toe een woord. Jammer dat Daan morgen vertrekt. Zou ze hem nog eens zien? Misschien kan ze een dagje naar Amsterdam met de trein. Samen met Coen, of Kim. Celeste tuurt naar de knetterende vlammen. Ze moet weer aan het gesprek over Plato denken. Vuur is er ook altijd geweest. Zou die Plato over vuur ook zo'n idee hebben? Wat is vuur eigenlijk? Net zoiets eeuwigs als de zon?

'Wil je een slok cola?' vraagt Floris. Hij houdt een plastic beker vast. Coen houdt zijn neus boven de beker en snuift.

'Doe maar niet,' zegt hij. 'Er zit iets in.'

Celeste snapt wat haar broer bedoelt. 'Van wie heb je dat spul?'

'Van die Franse jongen. Hij heeft een klein flesje rum in zijn broekzak. Dat spul brandt in je mond.' Floris trekt een gekke bek.

'Als de campingbaas het hoort, wordt hij weggestuurd,' zegt Coen.

'Onzin,' zegt Floris. 'Alcohol is toch geen vergif, anders zouden volwassenen het zelf niet drinken.'

Floris neemt een slok. 'Proost,' zegt hij.

'Mijn ouders willen absoluut niet dat ik iets drink,' zegt Celeste. 'Ik hoef het ook niet. Ik vind bier en wijn niet eens lekker.'

'Mijn ouders doen ook moeilijk,' zegt Daan. 'Je hersencellen sterven af door alcohol.'

'Nou, jij mag wel een slokje! Jij hebt toch genoeg hersencellen,' zegt Floris. 'Overcapaciteit.'

Daan reageert niet op zijn woorden.

Celeste doet haar trui aan. Ze trekt de capuchon over haar hoofd en gaat op haar rug liggen. De hemel is zo vol sterren, ontelbaar veel.

Het kampvuur is gedoofd. Op de terugweg lopen de jongens en Celeste voorop.

'Zie ik je morgen nog?' vraagt Celeste bij de ingang van de camping aan Daan.

'Mijn ouders zijn van die vroege vogels,' antwoordt Daan. 'Morgen rijden we nog een stuk naar het zuiden. Ik bel je wel na de vakantie. Ciao!' Hij zwaait even en loopt door met Floris.

'En, hebben jullie wat samen?' vraagt Coen.

'Doe niet zo dom,' zegt Celeste. 'Je weet toch dat ik verkering met Hugo heb. Daan is gewoon onwijs aardig. Hij is anders dan andere jongens. Ik kan met hem overal over praten.'

'Dat klinkt heel gezellig,' zegt Coen op een plagerige toon. 'Slaap lekker.' Hij kruipt zijn tentje in.

Celeste trekt haar luchtbed een stukje uit de tent. Ze gaat op haar rug liggen en kijkt naar de sterren. Haar hoofd is net zo helder als de stralende lichtjes. Ze denkt aan de wandeling en het bezoek aan de kerk. Ze ziet zichzelf weer op de houten bank zitten en hoort de stem van Daan. Het lijkt wel of ze naar een film kijkt waar ze zelf in meespeelt.

5.

De vakantie vliegt voorbij. Celeste maakt uitstapjes, gaat elke dag zwemmen en Coen leert haar windsurfen. Ze oefent in een ondiep stuk bij het strandje. Als ze de techniek van overstag gaan te pakken heeft, gaat het super. Aan het einde van de twee weken durft Celeste zelfs langs de stuwdam te surfen.

Voor ze het weet zit ze weer in de auto op weg naar huis. Als ze net de grens met België over zijn gaat haar mobiel. Ze kijkt naar het nummer op haar display. Krijgt ze nu eindelijk een telefoontje van Hugo? Nee, het is Kim.

'Kim, ik kan surfen!' zegt Celeste voordat Kim ook maar de kans krijgt om iets te zeggen. 'Met windkracht nul,' roept Coen erdoorheen.

'Hou je mond.' Celeste geeft hem een duw. Coen probeert haar mobiel af te pakken.

'Kan het wat rustiger achterin?' vraagt papa.

'Ik kan hier niet privé bellen,' zegt Celeste tegen Kim. 'We praten morgen wel verder. Doei.' Ze drukt haar mobiel uit en buigt zich naar voren. 'Morgen ga ik met Kim boeken kaften. Ze vindt het heel cool dat ik kan surfen.'

'Dat heb je wel van mij geleerd,' zegt Coen.

'Nou en…' Celeste kijkt hem argwanend aan.

'Dus kaft jij mijn boeken ook even.'

'Doe normaal,' zegt Celeste. 'Ga zelf je boeken kaften.'

Mama draait zich om. 'We zijn nog niet thuis of het onderhandelen begint weer,' zegt ze. 'Mag ik dit, dan doe ik dat. Daar komt alleen maar gedoe van.'

Na een heerlijke nacht in haar eigen bed zit Celeste aan de keukentafel. Ze rolt het kaftpapier uit. Op het papier staan surfers. Ze bekijkt de plaatjes. Een surfer heeft een blauw zeil.

Waarom moet ze steeds weer aan Daan denken? Ze heeft hem maar één avond gezien. Ze wil hem zo graag vertellen dat ze ook kan surfen. Surfen klinkt best stoer. Echt cool dat ze het geleerd heeft.

Kim bonkt tegen de keukendeur en stapt naar binnen.

'Hé, supervriendin!' zegt Kim en omhelst Celeste.

'Wat ben je bruin.' Celeste kijkt heel verbaasd naar haar vriendin.

'Gewoon Nederlandse zonnestraaltjes,' zegt Kim lachend. 'Ik ben elke dag naar het zwembad geweest. Ze haalt haar hand door haar bruine krullen. Ze staan altijd vrolijk alle kanten op.

Echt Kim weer, denkt Celeste. Kim is nooit jaloers. Ze is zelf niet op vakantie geweest, maar ze is absoluut niet jaloers. Ze neemt de dingen zoals ze zijn en ze doet nooit moeilijk over iets.

'En?' vraagt Celeste. Kim heeft aan een half woord genoeg. 'Er waren veel kleintjes in het zwembad,' antwoordt ze. 'Gisteren was Jan er. Hij moest op zijn broertjes en zusjes letten. Jan blijft leuk,' zegt ze giechelend. 'Maar ik ben niet echt verliefd meer op hem.'

'Hebben jullie het uitgemaakt?'

'Ja en nee. Vaag hè?' zegt ze. 'Ik wil hem eigenlijk niet kwijt. Dus als hij het niet uitmaakt, doe ik het ook niet.' Heb jij nog iets van Hugo gehoord?'

'Zero, nul komma nul,' antwoordt Celeste.

'Dan bel je hem toch zelf.'

'Ik ga niet achter een jongen aanrennen,' zegt Celeste op besliste toon. 'Ik ben Naomi niet.'

'Naomi was gisteren ook in het zwembad. Ze ging niet mee zwemmen. Ze wil alleen zonnen. Ook niet wijs, want ze is toch al mooi bruin met haar Surinaamse huidskleur.'

'Haar make-up is vast niet waterproof,' zegt Celeste giechelend.

Kim wiebelt van haar ene been op haar andere. 'Wat is er?' vraagt Celeste.

'Hoe heb jij het in Frankrijk gehad?'

Celeste kijkt opzij. 'Zeg nu maar wat je eigenlijk wilt zeggen.'

'Ik weet het niet zeker,' zegt Kim. Ze laat even een stilte vallen. 'Maar misschien heeft Hugo iets met Naomi.'

'Doe niet zo raar. Dat kan helemaal niet,' zegt Celeste. 'Naomi gaat met Sam! Ik heb met Hugo verkering. Bovendien is Hugo veel te stoer voor Naomi. Hij heeft zelf tegen me gezegd dat Naomi niet zijn type is.'

'Misschien, ik weet het ook niet zeker,' zegt Kim zachtjes.

'Sorry voor mijn uitval,' zegt Celeste. 'Ik geloof dat ik Hugo nog steeds leuk vind. Ik weet het ook niet, ik weet alleen dat ik het echt niet leuk vind als Hugo Naomi wel leuk vindt. Ingewikkeld, hè?'

'Hoe heb jij het in Frankrijk gehad?' vraagt Kim weer.

'Helemaal super,' zegt Celeste. 'Coen heeft me leren surfen.' Ze legt een boek op het kaftpapier en knipt een strook af. 'Dit blauwe zeiltje is van Daan,' zegt ze.

'Wie is Daan?' Kim rolt haar roze kaftpapier uit en legt er een wiskundeboek op. Ze slaat het boek open. Celeste klapt het meteen weer dicht.

'We hebben nog vakantie!'

'En?' vraagt Kim weer.

'Daan is heel aardig, verder niets,' antwoordt Celeste. 'Nou ja, hij is nogal filosofisch ingesteld.'

'Wat is dat?'

'Hij denkt overal over na en praat over Plato, maar je kunt ook wel met hem lachen.' Celeste vertelt over haar avontuur tijdens de wandeltocht. 'De volgende morgen vroeg vertrok hij,' besluit ze.

'Romantisch,' zegt Kim. Ze probeert serieus te kijken. 'Heb je nog iets van hem gehoord? Heb je zijn nummer?'

Celeste schudt haar hoofd. 'Hij zou me bellen, maar hij heeft mijn nummer niet.'

'Daar kan hij wel achterkomen. Hij is toch zo slim?' Kim geeft Celeste een bemoedigende knipoog. 'En anders bel je hem.'

'Hij woont in Amsterdam. Zijn achternaam is Linthorst,' weet Celeste.

'Zal ik even op internet zoeken?' vraagt Kim.

'Nee, nee. Laat maar.'

'Ik heb nog twee rollen over,' zegt Kim.

Ze legt haar boeken netjes op een stapel.

'We gaan Coen blij maken,' zegt Celeste.

'Met roze kaftpapier!' gniffelt Kim.

Ze kaften ieder een boek van Coen met roze papier. 'Zullen we de andere boeken toch maar met surfpapier doen?' zegt Kim.

Celeste knikt. Als ze klaar zijn legt ze de twee roze boeken bovenop de stapel en zet de doos met gekafte boeken terug in zijn kamer.

'Ik kan geen boek meer zien,' zegt Kim.

'Morgen hoeven we geen boeken mee,' weet Celeste. 'We hebben die introductiedag met onze nieuwe klas en mevrouw Bruins, de mentor. Ze was er ook op de kennismakingsavond voor de zomer.'

Coen komt de keuken binnenlopen en trekt de koelkast open. 'Ik heb morgen nog vrij. Lekker relaxed begin van het schooljaar.'

'We hebben een verassing voor je,' zegt Celeste.

'Drie keer raden.' Kim kijkt hem lachend aan.

Coen schenkt zichzelf een glaasje fris in. Hij drinkt staande zijn glas leeg.

'Het staat boven,' verklapt Kim.

Coen kijkt naar de meiden. Hij wacht af wat ze nog meer te melden hebben.

'Het zit in een doos.' Celeste kijkt haar broer lachend aan. Hij zegt niets en doet net of het hem niet interesseert.

'Binnen twee tellen is hij boven,' fluistert Celeste in Kims oor.

Coen draait zich om en loopt zingend de trap op. 'Trala, alsjeblieft, mijn boekjes zijn gekaft.'

Opeens is het stil. Coen dendert weer naar beneden. 'Zijn jullie helemaal gek geworden!' roept hij kwaad.

'Zeg je niet eens dankjewel?' zegt Kim plagend.

'Dat valt inderdaad wel een beetje tegen,' vindt Celeste. 'Je moet verder kijken dan je neus lang is.' Coen gaat weer naar boven.

'Als we niets horen, is het goed,' zegt Celeste. Het blijft even stil boven. Daarna gaat de muziek aan.

'Ik ga maar eens,' zegt Kim. Ze pakt haar doos met boeken op.

'Tot morgen om acht uur. O ja, Jan en Hugo wachten op ons voor het huis van Hugo.'

De volgende morgen staat Celeste om vijf voor acht bij de deur om te vertrekken. 'Dag mam.'
'Krijg ik nog een kus?' vraagt mama.
'Natuurlijk.' Celeste geeft mama een kus en pakt haar rugzak. Ze heeft haar agenda, pen en brood mee. 'Heb ik alles?'
'Je jas,' zegt mama.
'Mijn jas staat niet op mijn rokje,' zegt Celeste. 'Het wordt toch mooi weer vandaag.'
'Doe dan een vestje aan.'
Celeste rent de trap op en pakt de blauwe sweater uit haar kast. De deur van Coens slaapkamer is dicht. Hij slaapt lekker uit. Alleen de eersteklassers worden op school verwacht.
'Dag mam.' Celeste staat met de deurknop in haar hand.
'Wat is er?' vraagt mama, die ziet dat Celeste aarzelt.
'Wat moet ik tegen Hugo zeggen? Hij heeft me de hele vakantie niet gebeld.'
Mama slaat haar arm om Celeste heen. 'Gewoon jezelf zijn,' zegt ze. 'En als je ermee zit, kun je aan hem vragen waarom hij je niet belt.'
Celeste knikt. Dat had ze zelf ook al bedacht.

Ze fietst naar het huis van Kim. Samen fietsen ze verder. Jan en Hugo staan al bij de weg te wachten.
'Hoi,' roept Jan vrolijk. Zijn korte stekels glanzen van de natte gel. Hugo steekt als groet zijn hand even op. Hij is een kop groter dan Jan. Op zijn halflange haar draagt hij een pet. Met zijn vieren fietsen ze naar de stad. Ze praten over de vakantie. Hugo is op honkbalkamp geweest. Hij heeft het alleen maar over honkbal. Op een stuk dubbel fietspad gaat Celeste naast de jongens fietsen.
'Waarom heb je me niet gebeld?' vraagt Celeste.
Hugo haalt zijn schouders op. Hij blijft voor zich uitkijken. 'We zien elkaar nu toch weer.'

'Dat is ook zo,' zegt Celeste. Toch wil ze zeker weten dat de rod-
del niet waar is.
'Ben je nog naar het zwembad geweest in de vakantie?' vraagt ze.
'Nee,' zegt Hugo. 'Daar heb ik niets te doen.'
Er komt een tegenligger aangefietst. Celeste remt af en gaat weer
naast Kim rijden. Ze zucht opgelucht. Hugo heeft Naomi dus niet
in het zwembad gezien.

Naast het Groenlingcollege staat een ander schoolgebouw: de
Driekant. Op deze schoot zitten Sam en Naomi. Het is druk bij de
ingang van De Driekant. Celeste kijkt of ze iemand herkent.
'Daar staat Sam,' zegt ze tegen Kim. 'Wow, wat is hij gegroeid!'
Kim remt af en buigt zich naar Celeste. 'Hij gaat met vrienden van
zijn neef om. Die jongens zijn al zestien. Sam rijdt met een brom-
mer van een van die jongens. Hij crost op het zandpad door het
bos zodat hij niet gezien wordt. '
'Hoe weet je dat allemaal?'
'Een zomertje zwembad,' zegt Kim lachend.
Celeste heeft het gevoel dat ze wel heel veel gemist heeft tijdens
de vakantie in Frankrijk. Ze fietst slingerend door het hek van
haar school.
'Afstappen jongelui,' zegt een stevige man met een snor. Ze stappen af en zetten hun fietsen in het fietsenrek naast de school.
De man loopt naar de kinderen toe. 'Hebben jullie de fietsen op
slot gezet?'
'Bent u van de beveiliging?' vraagt Jan.
'Conciërge Bas Bull.' Hij wijst naar de deur. 'Jullie hebben nog vijf
minuten. En eh, petje af, jongeman,' zegt hij terwijl hij Hugo aankijkt. 'Dat is de regel op school. Geen pet en geen kauwgom.'
'Dat zal wel,' zegt Hugo stoer en doet net alsof of hij kauwgom
uitspuugt. Snel stopt hij zijn pet in zijn rugzak en haalt zijn hand
door zijn haar. Ze lopen naar de deur.
'Is dat zijn echte naam?' vraagt Kim. Celeste trekt haar schouders
op.
'Wat een buldog,' vindt Hugo. 'We zijn geen kleuters meer.'

Het gebouw heeft twee verdiepingen. In de hal is een trap naar boven. De lokalen liggen aan lange gangen en hebben een nummer. Celeste wil haar agenda pakken om te kijken waar ze precies moeten zijn.

'Lokaal 212,' zegt Hugo. Hij neemt de trap met twee treden tegelijk. Hugo onthoudt altijd alles, postcodes, telefoonnummers en jaartallen. Op de basisschool werd hij vaak 'Wandelende Wiki' genoemd.

Ze vinden het lokaal en geven de mentor een hand. Mevrouw Bruins is een jaar of dertig. Ze draagt een gebloemde jurk en heeft haar haar in een paardenstaart. Ze kijkt op een kaart waarop alle namen staan met een footootje erbij. 'Celeste en Kim, jullie mogen achteraan gaan zitten.' Ze wijst naar een tafel.

'Ja, mevrouw,' zegt Celeste. Ze heeft van Coen gehoord dat ze op de middelbare school nooit meer juf mag zeggen.

6.

Celeste kan goed zien wie er binnenkomen. Ze kent geen van de andere leerlingen. Kim plukt een beetje nerveus aan haar donkere krullen.

'Hallo meisjes en jongens. Ik ben zoals jullie weten de mentor, mevrouw Bruins. Welkom in klas 1D.' Ze kijkt snel even op de kaart in haar hand. 'We zijn compleet. Straks vertel ik jullie alles over het nieuwe schooljaar en deel ik de toegangspasjes en de roosters uit. De vakantie is helaas voorbij. Jullie hebben vast genoten...'

'Echt wel, wie niet,' klinkt het zachtjes.

'Wie wil er iets over de vakantie vertellen?' Er gaan meteen vingers omhoog.

Een paar leerlingen zijn met het vliegtuig geweest. Hugo vertelt natuurlijk over zijn honkbalkamp. Kim stoot Celeste aan. 'Hugo wordt nog een balletje honkbal,' zegt ze zachtjes.

'Hij is goed hoor, hij speelt topklasse,' verdedigt Celeste hem. Toch heeft Kim wel gelijk. Als je met Hugo praat, gaat het altijd over honkbal. Het is niet handig om verliefd te zijn op Hugo. Een balletje honkbal is veel te druk met zichzelf, belt nooit op en spreekt niets af...

Jan vertelt over zijn vakantie op de boerderij. Een losgebroken varken vrat hun avondeten op en een geit hapte een stuk uit de jurk van zijn kleine zusje. Jan zelf reed op een pony. Hij is er per ongeluk mee in een sloot gereden. Jan vertelt het zo grappig dat de hele klas moet lachen.

Mevrouw Bruins kijkt op haar lijst. 'Blonde haren, blauwe ogen,' zegt ze en kijkt Celeste vragend aan. 'Je heet toch Celeste?'

Celeste knikt.

'Ben jij nog weggeweest?'

Wat zal ze vertellen over haar vakantie in Frankrijk? Na het leuke verhaal van Jan moet het wel een beetje spectaculair zijn...

'Op de eerste morgen lag ik te zonnen op een springschans van waterskiërs. Een jongen met een windsurfplank heeft me gered.'

De klas ligt in een deuk. 'Romantisch,' klinkt het voor haar.

''s Avonds hadden we een survivaltocht op de camping,' vertelt Celeste verder. 'Toen zat ik opgesloten in de kerk.'

'Alleen?' vraagt Hugo. Hij geeft Celeste een knipoog.

'Nee, met die windsurfer,' zegt Kim.

Celeste voelt zich warm worden. Ze is bang dat ze gaat blozen. Ze besluit niets over Daan te vertellen. 'Toen we terugreden naar huis, op de snelweg, zag ik een auto met een windsurfplank op het dak afslaan om te tanken. "Pap, wil je ook even stoppen," vroeg ik. Mijn vader stuurde de wagen op de afslag en toen...'

'En was het de windsurfer?' vraagt mevrouw Bruins lachend.

'Nee,' zegt Celeste. 'Net toen mijn vader op de afslag reed, verloor de wagen voor ons zijn lading. Er is een enorme kettingbotsing ontstaan. Echt heel erg.'

Het is even stil in de klas. 'Dat had je me nog niet verteld,' fluistert Kim.

'Ik heb over die kettingbotsing in de krant gelezen,' zegt mevrouw Bruins.

'Dus als jullie niet afgeslagen waren dan waren jullie gecrasht,' zegt Jan nuchter. Celeste knikt.

'Heb je de windsurfer nog gezien?' vraagt een meisje giechelend.

'Is dat nou toeval?' zegt Jan hardop in zichzelf.

'Toeval bestaat niet!' roept een jongen.

Mevrouw Bruins kijkt de leerlingen aan. 'Is het toevallig dat jullie bij elkaar in de klas zitten?' vraagt ze.

'Celeste en ik hebben ons met Jan en Hugo opgegeven, zodat we samen kunnen fietsen. Het fietspad van ons dorp naar de stad loopt door het bos,' vertelt Kim. 'Dat is dus niet toevallig,'

'Maar wel heel verstandig,' zegt mevrouw Bruins.

'Wie heeft er wel eens iets meegemaakt waarvan je achteraf denkt "dat is geen toeval geweest"?'

Kim steekt haar vinger op. 'Als ik mijn moeder wil bellen, is ze me vaak net voor en belt ze mij. We denken dan gelijk aan elkaar.'

'Handig toch?' zegt Jan. 'Dat scheelt weer beltegoed.'

'Toen ik zes was, werd ik midden in de nacht wakker,' vertelt Celeste. 'Ik moest heel erg huilen. Mama dacht dat ik een nare droom had gehad. Die nacht is onze poes overreden.'

'Wat naar,' zegt mevrouw Bruins.

'Je voelt dat er iets gaat gebeuren,' zegt Jan. 'Dat had ik ook een keer toen mijn fietslamp stuk was. Ik ging een stukje lopen en ja hoor, politiecontrole op fietsverlichting. Handig toch, zo'n voorgevoel.'

'Vinden jullie dat je gevoel ervoor kan zorgen dat je iets wel of niet doet? Steek je vinger op als je het ermee eens bent.'

De hele klas steekt zijn vinger op. Mevrouw Bruins knikt. 'Ja,' vervolgt ze. 'Jullie zitten nu op de middelbare school. Alles is weer nieuw, net als acht jaar geleden in groep één van de basisschool. Jullie gaan veel nieuwe dingen leren en beleven. Toch is het ook belangrijk dat je probeert te voelen of je het ergens wel of niet mee eens bent en of je iets wel of niet wilt doen.'

'Ik wil geen bergen huiswerk,' fluistert Jan. Mevrouw Bruins let niet op hem en praat verder.

'Jullie kunnen altijd bij me terecht als je vragen hebt of als er iets is waar je over wilt praten.' Ze kijkt de klas rond. 'En dan nog even dit. We hebben een elektronisch absentiesysteem,' vertelt ze. 'Iedere leerling heeft een nummer en een eigen pasje. Als je de school inloopt word je geregistreerd. We weten dan dat je er bent en ook dat je op tijd bent. Kom je twee keer te laat, dan kom je op de lijst van meneer Bas te staan. De conciërge geeft je dan een taak na schooltijd.'

Kim steekt haar vinger op. 'En als je ziek bent?'

'Dan kom je toch niet te laat,' zegt Jan.

'Je ouders moeten dan voor halfnegen de school bellen,' zegt mevrouw Bruins. 'Het staat ook op onze website. En dan dit nog: we hebben met onze buren afgesproken dat de leerlingen van het Groenlingcollege niets te zoeken hebben op de Driekant en omgekeerd. Dus niet op de andere locatie rondhangen. De roosterwijzigingen van iedere dag staan op de monitor in de grote hal. Kijk altijd even als je binnenkomt. Hebben jullie nog vragen?'

Niemand reageert.

'Ik geef jullie ieder je eigen pasje. Celeste, wil jij de roosters uitdelen?'

Celeste loopt naar voren en neemt het stapeltje aan. Ze legt op iedere tafel een papier. Vlak voor het tafeltje van Hugo struikelt ze over een rugzak. Celeste stoot haar hand tegen een tafelrand. Hugo schiet in de lach.

'Het doet wel pijn hoor,' zegt Celeste. Ze loopt door en gaat weer naast Kim zitten.

'Nu weet ik het zeker,' fluistert ze. 'Hugo lacht me nog uit ook. Hij laat me gewoon voelen dat hij me niet leuk meer vindt.'

7.

Na het mentoruur fietsen Kim en Celeste samen naar huis.
'Mazzel,' zegt Kim. 'We hebben maar een uurtje school
gehad.'
Celeste kijkt strak voor zich uit.
'Ben je chagrijnig?'
'Ik had heel veel zin om naar onze nieuwe school te gaan, maar
ik vind er niets aan.'
'Alleen omdat Hugo je niet aankijkt?'
'Ik vind hem nog steeds leuk,' zucht Celeste. 'Wat moet ik nou
doen?'
Kim pakt de arm van Celeste vast. '*Hard to get,*' zegt ze op een
geheimzinnige toon. Celeste begrijpt er niets van. 'Gewoon de
rollen omdraaien. Zorgen dat je leuk overkomt en dat iedereen je
aardig vindt. Dan wordt hij vanzelf jaloers en gaat hij weer achter
jou aanlopen.'
Ze rijden de stad uit en nemen het fietspad door het bos. In de
verte horen ze het geluid van een brommer. 'Wat een herrie,' zegt
Celeste.
'Dat is de brommer van Sam,' zegt Kim. Ze remt af bij de afslag
naar een zandpad. 'Kom, we gaan even kijken.'
Ze fietsen een stukje het zandpad op. Kim stapt af, ze trekt haar
fiets door het mulle zand. Tegen een dikke boom staat een roze
meisjesfiets.
Het knetterende geluid komt dichterbij. Celeste trekt haar fiets
aan de kant. Sam rijdt met een flinke vaart langs. Hij laat een stof-
wolk achter.
'Naomi zit achterop,' zegt Kim. Celeste knikt. Ze had de roze fiets
al herkend. Sam is gedraaid en rijdt naar de meiden toe. Hij zet de
brommer uit. Naomi stapt af.
'Hai,' zegt ze en ze schudt haar lange bruine haar naar achteren.

'Solliciteren jullie ook voor een ritje?'

'Sam is nog geen zestien. Hij hccft geen brommerrijbewijs. Jullie mogen helemaal niet brommer rijden,' zegt Celeste. 'Zeker niet zonder helm.'

'Tss,' zegt Naomi. 'Het is echt cool achterop. Of durf je niet?' Ze kijkt Celeste lachend aan. De grote ringoorbellen flonkeren, net als de glitter boven haar ogen.

Is het leuk om iets te doen wat niet mag? Is het stoer om bij Sam achterop te zitten? Ze heeft geen idee. Celeste stapt naar achteren.

'Nee, van mij hoeft het niet,' zegt ze.

'Ga je mee?' Kim zit al op haar fiets.

'Hé, amico.' Hugo en Jan rijden slingerend door het mulle zand naar ze toe.

De jongens geven Sam een vuistgroet.

'Gaat het lekker vandaag?' vraagt Hugo.

'Beter,' zegt Sam. 'Wil jij even?'

Hugo zet zijn fiets tegen een boom en stapt op de brommer. Hij

trapt de brommer aan en geeft een beetje gas. Sam geeft Naomi
een knikje. Ze gaat achterop zitten.
'Zit je goed?'
'Yes.' Naomi slaat haar armen om hem heen en Hugo geeft flink
gas. Het achterwiel slipt even voordat ze wegrijden. Celeste voelt
het stof in haar neus prikken en moet niezen.
Sam staat met zijn handen in zijn zakken. 'Hoe was het bij jullie
op school?'
'We hebben niets gedaan,' antwoordt Kim. 'Alleen een beetje
gepraat.'
Celeste loopt naar Jan toe. 'Rijd jij ook op de brommer?' vraagt ze.
'Het is toch gevaarlijk en als ze gesnapt worden...'
'Ze rijden de hele vakantie al ritjes,' vertelt Jan.
'Wie?' Celeste kijkt hem vragend aan.
'Sam en Naomi,' zegt Jan lachend. 'Die twee lijken wel getrouwd.
Ze zijn altijd samen.'
'En Hugo?'

'Je kent Hugo toch. Hij wil gewoon af en toe stoer doen. Verder niets.'

Celeste kijkt door haar lange blonde haar heen. Jan blijft eerlijk en normaal.

Weet Jan misschien of Hugo haar nog leuk vindt? Ze heeft geen kans het te vragen. Hugo en Naomi komen er weer aan gebromd. Het knetterende geluid klinkt extra hard in het stille bos.

'Doeg, we gaan,' zegt Kim en fietst weg. Celeste steekt haar hand op en volgt haar vriendin. 'Zien we jullie nog bij "Downunder"?' roept Naomi.

'Misschien later!' roept Kim. Ze fietst een stuk voor Celeste uit naar de weg.

Celeste haalt haar hijgend in. '"Downunder" is toch die jeugdsoos in de kelder van dat gebouw tegenover de supermarkt?'

'Klopt. In de vakantie was de jeugdsoos gesloten,' vertelt Kim. 'We spraken af bij het muurtje voor de ingang van de soos en gingen daar gezellig kletsen. Soms haalden we een pak koeken of een ijsje bij de supermarkt. Meestal waren Jan, Naomi en Sam er. De laatste week was Hugo er ook. Nu we school hebben mag ik alleen nog op vrijdag en zaterdag iets afspreken.'

'Ik heb wel heel veel gemist,' zegt Celeste met spijt in haar stem. Ze heeft het gevoel dat ze er niet meer helemaal bij hoort.

'Echt niet,' antwoordt Kim lachend. 'Het gaat helemaal nergens over.'

Tot het dorp fietsen ze ieder met hun eigen gedachten. Dan bereiken ze de eerste huizen. 'Ga je nog mee iets drinken bij mij thuis?' vraagt Kim.

Celeste schudt haar hoofd. 'Ik heb hoofdpijn,' zegt ze. 'Morgen acht uur?'

'Oké! Doeg en beterschap,' zegt Kim hartelijk en slaat af naar haar huis.

Mama ziet Celeste de tuin in fietsen. 'Hoe was het op school? Heb je een leuke klas? Heb je een goed rooster?'

Celeste pakt het papier met het rooster uit haar tas.

'Laat eens zien?'

'Mam, mag ik eerst zelf even kijken?' Celeste loopt door naar haar kamer en gaat op haar bed zitten.

Alles tolt door haar hoofd. De school, de klas, Kim, Jan, Hugo, het lijkt wel of niets meer hetzelfde is als voor de zomer.

Mama klopt op haar deur en steekt haar hoofd om de hoek.

'Kom je even wat drinken?' Celeste loopt mee naar beneden. Ze drinkt haar glas leeg zonder iets te zeggen. Moet ze het vertellen van de brommer van Sam?

Wat zal mama zeggen? Keurt ze het meteen af? Belt ze Sams ouders op? Is ze een verklikker als ze het zegt? Ze kan het niet langer voor zich houden.

'Sam rijdt op een brommer over het zandpad. U weet wel in het bos hier vlakbij.'

Mama schenkt haar nog een keer in. 'Oh,' zegt ze. Celeste kijkt haar verbaasd aan.

'Vindt u het niet erg?'

'Is hij alleen?' vraagt ze.

Celeste trekt haar schouders op. Ze heeft geen zin om alles aan mama te vertellen. Waarom weet ze niet precies. Vroeger kon ze wel alles zeggen, maar nu is het opeens anders. Ze wil niet zeggen dat Hugo ook brommer rijdt.

'Wat vind jij er zelf van?' vraagt mama

'Het is toch gevaarlijk? En het mag niet!' zegt Celeste kwaad.

Mama knikt. 'Daar heb je gelijk in. Sam is nog lang geen zestien.'

Celeste wil vragen of er wel iemand achterop mag zitten. Nee, dat kan ze beter laten. Anders gaat mama weer vragen wie er achterop zat…

'De bestuurder van de brommer is verantwoordelijk,' zegt mama. 'Bovendien ben je niet verzekerd, als je nog geen zestien bent. Dus als je een ongeluk maakt moet je het zelf betalen.'

Celeste kijkt naar buiten. 'Ik vind het dom van Sam en ook van Hugo, en ik ga niet achterop,' zegt ze zachtjes. 'Echt niet.'

'Het is goed dat je een eigen mening hebt,' zegt mama.

'Mevrouw Bruins had het daar ook al over,' herinnert Celeste zich.

Ze voelt dat ze tegen brommer rijden in het bos is. Opeens begrijpt ze wat mevrouw Bruins bedoelde.

Mama haalt post uit de brievenbos. Ze zwaait met een enveloppe. 'Voor jou uit Amsterdam!'

Celeste scheurt met haar vinger de enveloppe open. Ze loopt al lezend naar boven. Vier velletjes vol. Heel netjes geschreven. Er zit een tekening bij. Het is een plattegrond van Daans kamer. Hij vraagt of ze volgend weekend een dagje naar Amsterdam komt en of ze een vriendin meeneemt. De treintijden staan erbij. Celeste dendert de trap af. 'Mam, zaterdag ga ik naar Daan in Amsterdam. Kim gaat mee en...'

'Wacht even,' zegt mama. 'Daar wil ik even rustig met papa over praten en met de ouders van Kim. Weet Kim er al van? Wat ga je precies in Amsterdam doen? Hoe laat ben je weer thuis? Heb je het nummer van de ouders van Daan?'

'Nee, maar...' zegt Celeste teleurgesteld. 'Waarom doet u zo moeilijk? Ik ben wel vaker met de trein geweest en ik zit al op de middelbare school en Coen is ook met de trein geweest...'

'Vanavond kom je met een goed voorstel. Dan praten we verder,' zegt mama.

'Ik ga even bijpraten met Kim.' Celeste loopt de keukendeur uit.

'Heb je geen huiswerk?'

'Nee, natuurlijk niet. We hebben vandaag alleen maar mentoruur gehad.'

Celeste en Kim zitten samen achter de laptop van Kim.

'Een brief is uit de vorige eeuw,' zegt Kim. 'We maken gewoon even een e-mailadres aan. Die held van jou gaat maar mooi msn'en. Heeft hij zijn e-mail erin gezet?'

'Ja, hier. Ik vind de brief wel schattig,' zegt Celeste. Ze bekijkt de plattegrond nog een keer. 'Hij heeft een hoogslaper en dit is een archeologische kast. Wat is dat?'

Kim trekt het papier uit haar handen. 'Archeologie heeft iets met opgravingen te maken. Je weet wel oude scherven van potten en zo. Misschien heeft hij bijzondere dingen gevonden.'

Celeste knikt. 'Hij weet heel veel over geschiedenis en zo.'

'Onwijs wijs,' zegt Kim lachend. 'Zullen we vast msn'en dat we komen?'

'Ik moet nog wel overleggen met mijn ouders,' zegt Celeste.

'Als ik meega, mag jij zeker,' zegt Kim. 'Onze ouders moeten nog wennen dat wij een eigen leven krijgen en eigen dingen beslissen. Je zegt gewoon dat ik mag, dan mag jij ook. We worden in de trein heus niet gekidnapt.'

'Je hebt gelijk. We nemen de trein van negen uur.' Celeste typt een berichtje dat ze zaterdag komt met Kim. Ze zet er een paar smileys bij.

'Kan er nog een hartje af?' vraagt Kim.

'*Hard to get*,' zegt Celeste lachend. 'Even serieus, ik ben echt niet verliefd op Daan. Hij is gewoon aardig, verder niets.'

'Kijk, Daan reageert al. 'Hij staat om elf uur op het station. Of Coen ook meegaat?'

'Alleen als het moet,' zegt Celeste lachend. Ze ziet op het beeldscherm dat het al bijna zes uur is. 'Ik ga,' zegt ze. 'Doeg!'

Celeste zet haar fiets onder het afdakje. Ze hoort mama met papa praten op het terras voor de keuken. 'Wat vind jij ervan?' vraagt mama. 'Celeste is pas twaalf. Laat je een dochter van twaalf met haar vriendin naar Amsterdam gaan?'

'Ze is bijna dertien,' zegt papa. 'Ze gaat samen met Kim. Ik vind het wel goed als ze verantwoordelijkheid krijgt.' Voordat mama iets kan zeggen, springt Celeste tevoorschijn. 'Geregeld!' roept ze blij. 'Kim gaat mee. We nemen de trein van negen uur. Daan haalt ons op en dit is zijn nummer.' Ze geeft mama een briefje en loopt swingend naar binnen. In de keuken staat Coen voor het aanrecht. Hij eet spekjes uit de bak met sla. 'Waarom ben jij zo vrolijk?'

'Zaterdag ga ik bij Daan langs in Amsterdam. Kim gaat mee.'

'Cool! Ik ga ook.'

'Hoezo?' Ze verheugt zich er juist zo op om samen met Kim te gaan.

'Waarom niet?'

Mama en papa komen binnen. 'Dit vind ik geen communicatie,' zegt mama. 'Jij maakt al afspraken voordat wij goed gepraat hebben.' Haar stem klinkt geïrriteerd.

'Niet waar,' verdedigt Celeste zich. 'Ik kom met een goed voorstel. Dat vroeg u toch? Bovendien gaat Coen ook mee.'

'Dat heb ik nog niet eerder gehoord.'

'Uitgebokt,' mompelt Celeste zo zacht dat haar ouders het niet kunnen verstaan.

'Het is in orde,' zegt papa. 'We spreken af dat jullie om zeven uur thuis zijn.'

Celeste knikt. 'Zouden jullie het treinkaartje willen betalen? Dat doet Kims moeder ook. We betalen zelf de rest,' zegt Celeste. Ze geeft mama en papa een kus.

8.

Celeste heeft het rooster in haar agenda geschreven. Op vrijdag heeft ze maar vier uur. Het eerste uur Frans, twee uur gym en mentorles. Ze pakt het pasje van haar bureau. Het chagrijnige gevoel van gisteren is weg. Ze heeft echt zin om naar school te gaan. En ze heeft nog meer zin in Amsterdam. Zaterdag ziet ze Daan weer. Hoe zou dat zijn? Ze heeft een blij gevoel in haar buik. Nee, verliefd is ze niet, het is gewoon heel leuk om Daan weer te zien. En met de trein reizen dat doet ze ook niet elke dag. Het lijkt wel een droom...

Stel je er nou niet te veel van voor, zei mama gisteren. Wat een onzinnige opmerking. Het is gewoon stoer om een date met een vakantievriendje te hebben en gezellig met Kim en Coen op stap te gaan. Eigenlijk best leuk dat Coen meegaat. Hij is soms een coole broer.

Ze besluit zich niet meer druk te maken over Hugo. Hij blijft de knapste jongen van de wereld, maar ze zal niet achter hem aan gaan lopen. Celeste kijkt nog een keer in de spiegel. De witte broek staat leuk onder het zwarte T-shirt. Ze wisselt de kleine knopjes met oorringen. Tevreden rent ze de trap af.

'Kus mam.' Celeste doet haar rugzak om en loopt de deur uit.

'Zwart op wit contrasteert wel erg,' zegt mama.

'Daarom juist. Dag.' Celeste zet haar iPod aan en fietst zwaaiend weg. Mama is de liefste mama van de wereld. Ze moet zich alleen niet met alles bemoeien. Ze haalt Kim op. Hugo en Jan staan klaar bij de weg. Hugo kijkt op zijn horloge. 'Het is al acht minuten over acht,' zegt hij chagrijnig. 'Volgende keer wachten we maximaal vijf minuten op jullie.'

'Garderobeproblemen?' vraagt Jan. Hij geeft Celeste een knipoog en fietst gauw achter Hugo aan.

'Jan blijft een schatje,' zegt Celeste. Ze trapt zelf ook flink door.

'Niet te hard,' hijgt Kim. 'Dan gaan we stinken.'

'Je mag mijn deo lenen,' zegt Celeste. De jongens fietsen steeds verder vooruit.

Als ze het hek van de school binnenrijden, horen ze de eerste bel.

'Dames, afstappen,' zegt meneer Bas. 'Laatste waarschuwing.'

Celeste en Kim springen van hun fiets. Ze lopen snel naar de ingang van school. 'Heb jij je pasje?' vraagt Kim. Ze vist het hare uit haar broekzak. Celeste kijkt in haar portemonnee. Ze vindt het kaartje niet.

'Misschien in je tas?'

Celeste ritst het voorvak open. Ze voelt een pakje kauwgom, een pen, maar geen kaartje. De tweede bel zoemt. Kinderen rennen naar de deur en dringen naar binnen. Celeste doet een stap opzij.

'Ga maar,' zegt ze. 'Anders kom jij ook te laat.'

'Nou en?' zegt Kim lachend. 'Kijk eens in je broekzakken?'

Celeste steekt haar hand weer in haar achterste zak. Opeens voelt ze het pasje. 'Hoe kan dat nou? Ik weet zeker dat ik mijn pasje in mijn portemonnee had gedaan.'

'Gewoon door de zenuwen,' zegt Kim. 'Dan kun je dingen vergeten.' Ze haalt haar pasje door het poortje.

Meneer Bas staat bij de klapdeurtjes. 'Helaas dames, twee minuten te laat. Jullie staan geregistreerd,' zegt hij. 'Als jullie nog een keer te laat komen dan draai je na schooltijd een dienst.'

'Ja, meneer,' zegt Kim beleefd.

'Het maakt mij niet uit hoor,' zegt de conciërge. 'Het scheelt me zelfs werk.' Hij geeft de meisjes een knipoog. Celeste en Kim lopen snel door naar hun lokaal.

'Die buldog kan dus ook nog aardig zijn,' zegt Celeste.

Meneer Scholten staat bij de deur. '*Allez, allez,*' zegt hij. Ze gaan gauw zitten.

'Wat betekent "allee"?' vraagt Kim.

'Dat is Frans,' zegt Celeste giechelend. 'Het betekent opschieten.'

Celeste kan de les goed volgen. Heeft ze toch nog iets opgestoken tijdens de vakantie!

De bel gaat. De leerlingen pakken hun rugzak en lopen pratend het lokaal uit. Klas 1D staat in de gang. Een paar jongens en meisjes kijken op hun rooster. Niemand weet waar de gymles precies is.

'Hebben we buiten gym of in de sportzaal?' vraagt Celeste.

'Het is mooi weer,' zegt Jan. 'We gymmen vast buiten.'

'Welk veld moeten we zijn?' vraagt Kim.

'We kijken op de monitor,' beslist Hugo. De hele groep volgt hem naar de grote hal.

'Hugo blijft een leider,' zegt Celeste.

In de hal staat klas 1D naar de monitor te kijken. 'Absent wegens ziekte,' ziet Celeste staan. 'Mevrouw Bruins staat erbij!' roept Kim. 'Dan hebben we het vierde uur vrij.' Een paar jongens lopen door de hal.

'Hé bruggertjes, niet zo'n grote mond!' roept een jongen. 'Als er een uur uitvalt moet je verplicht huiswerk maken.'

Celeste herkent de stem van Coen. Ze draait zich om. 'Dat verzin je,' zegt ze. 'Waar moeten we precies zijn voor gym?'

'De kleedkamers zijn bij de sporthal,' antwoordt Coen. 'Dat is aan het einde van deze lange gang links door een deur naar buiten en het pad volgen. Zo loop je binnendoor. Bij de hoofdingang van de sporthal ga je naar binnen.'

'We moeten deze gang in en dan naar links,' roept Celeste. Ze vindt het wel cool dat ze het eerder weet dan Hugo.

Even later staat klas 1D klaar op het veld. De velden liggen achter de sporthal en worden zowel door het Groenlingcollege als de Driekant gebruikt. Een stuk verderop gymt een andere groep. Ze spelen een partijtje voetbal. Kim stoot Celeste aan. 'Ra, ra, wie hebben we daar?'

Celeste herkent de gestalte van Naomi.

'Dat meen je niet,' zegt ze.

'Dames, even bij de les. Komen jullie allemaal hier?' roept de gymleraar. De leerlingen staan om hem heen. 'Meneer Krent is mijn naam. We hebben een druk programma dit jaar.' Meneer Krent draagt een zwart trainingspak. Terwijl hij praat zwaait hij met zijn armen, net of hij aan het sporten is. 'Vandaag gaan we honkballen. Zit er iemand op honkbal?' Hugo steekt zijn hand op. Meneer Krent geeft hem een handschoen. Ze gooien over. De gymleraar legt uit hoe je moet gooien en vangen. 'Jullie mogen allemaal een handschoen pakken en je in tweetallen verdelen over het veld.' Celeste en Kim gaan aan het einde van de rij staan. 'Pas op, die bal is keihard,' roept Kim. Celeste mist de bal en rent erachteraan. Ze kijkt even naar de buurschool. Naomi draagt een witte short en een paars T-shirt. Het staat haar leuk. De sportkleding van het Groenlingcollege is een donkerblauwe korte broek met bijpassend poloshirt waar het schoollogo op staat. Mama heeft de maat besteld, natuurlijk weer een beetje op de groei. Celestes kleren hangen om haar heen. Ze pakt de bal en rent terug.

Celeste en Kim oefenen een tijdje. Het vangen met handschoen gaat bij beiden steeds beter.

Meneer Krent roept de groep weer bij elkaar. 'We gaan de pitcher aangooien,' zegt hij. Hugo mag het voordoen. Hij gooit precies in de handschoen. 'Complimenten jongeman,' zegt de gymleraar. Ze oefenen om de beurt. Daarna leren ze slaan met de honkbalknuppel.

'Ik vind het echt cool!' zegt Kim. Bij Celeste gaat het ook lekker. Ze vormen twee partijen voor een wedstrijdje. Als Celeste aan de beurt is met gooien, is Hugo aan slag. Celeste voelt haar handen trillen. Ze wil zo graag goed gooien. Ze strekt zich uit, doet een stap naar achteren en gooit. Te hoog. Hugo neemt de bal niet.

'Kijk goed naar de handschoen,' roept meneer Krent. Celeste concentreert zich en gooit dit keer precies goed. Hugo slaat de bal met een enorme klap weg en rent. 'Wauw!' roept iedereen. 'Een homerun!' Kim staat achterin het veld. Ze ziet de bal hoog in de lucht aankomen en rent vast naar achteren.

Intussen is Hugo weer binnen. Hij wordt ontvangen als een held. 'Een topklap.' Meneer Krent geeft Hugo een klapje op zijn schouder.

'Goed aangegooid,' zegt Hugo. Hij lacht naar Celeste. Ze voelt zich van binnen helemaal blij worden.

'Het is tijd jongens. Jullie gaan douchen en omkleden,' zegt meneer Krent. De groep loopt naar de kleedkamers in de sporthal. Celeste wacht even op Kim. De gymgroep van Naomi heeft pauze. Ze zitten op het veld te kletsen.

Met een rood hoofd rent Kim naar haar toe. Kim gooit de bal in de mand. 'Bedankt,' zegt gymleraar Krent. 'Ga maar gauw naar binnen.'

Celeste en Kim lopen van het veld af. 'De bal lag vlakbij een sloot,' vertelt Kim.

'Nog een geluk dat ik de bal zag liggen. Ik zag trouwens nog meer liggen...'

'Hoezo? Wat dan?'

Kim buigt zich naar Celeste toe. 'Naomi met Sam. Ze lagen lekker te zonnen en hielden handjes vast.'

'Dat meen je niet. Ik bedoel: dat doe je toch niet?' Celeste kijkt haar vriendin verbaasd aan.

'Naomi dus wel,' antwoordt Kim. 'Het is dik aan tussen Sam en Naomi.' Celeste zucht opgelucht. Nu weet ze zeker dat er met Hugo en Naomi niets is.

Ze lopen het gebouw in.

'Welke deur ook alweer?' Kim duwt een deur open.

'Pas op, dat is een jongenskleedkamer,' zegt Celeste giechelend.

'Oeps,' zegt Kim en loopt snel verder naar de meisjeskleedkamer.

Celeste staat voor een dubbele deur. Nooduitgang staat erop. 'Als we in nood zijn moeten we er hier uit,' zegt ze lachend. Ze duwt voor de grap tegen de deur. De deur gaat open. Door een kier ziet ze de straat. Celeste laat de deur snel los, zodat hij weer dichtvalt.

9.

En dan is het zaterdag. In de trein zet Coen zijn iPod aan. Celeste en Kim praten over de eerste schooldag.

'Opeens voel ik me veel ouder,' zegt Kim. 'Het lijkt wel een eeuw geleden dat we op de basisschool zaten.' Ze opent haar rugzak en geeft Celeste een kauwgumpje. 'Op de basisschool had ik altijd die schoudertas met bloemetjes om. Ik zou er echt niet meer mee durven lopen.'

'Precies,' zegt Celeste. 'Nu ik op de middelbare school zit, denk ik opeens overal over na. Heb ik al mijn boeken? Heb ik mijn pasje? Zal ik mijn haar los doen of in een staartje? Staat mijn T-shirt wel bij mijn broek? Ik word best onzeker van al die vragen in mijn hoofd. Mama vraagt ook al van alles aan me. Hoe was dit en hoe ging dat. Net of ik al niet genoeg vragen heb.'

'Je ziet er goed uit hoor,' zegt Kim. 'Dat méén ik.'

Celeste kijkt door het raam naar buiten. Ze ziet groene weilanden. Het land ligt er verlaten bij. De koeien staan zeker op stal. Ze sluit even haar ogen. Hoe zal het zijn om Daan weer te zien? De trein mindert vaart.

'We zijn er,' zegt Kim. Celeste pakt haar rugzak en staat op. Coen blijft rustig zitten. 'Schiet op,' zegt ze.

'Relax, dit is het centraal station nog niet.'

'Zeg dat dan meteen! Kim staat al bij de deuren.' Celeste haast zich naar de uitgang om Kim te waarschuwen. De meisjes gaan weer zitten.

'Zeg dat dan wat eerder!' Celeste kijkt Coen kwaad aan.

'Dat deed ik toch,' zegt Coen.

Celeste besluit om er niet op door te gaan. Als ze met Coen ruzie heeft, gaat het meestal om niets en daar heeft ze nu geen zin in.

De trein mindert alweer vaart. Zodra de deuren opengaan, ziet Celeste Daan staan. Hij draagt een grijze broek en een overhemd. Daan lijkt nog langer dan ze zich kon herinneren. 'Hé Daan!' Ze zwaait en loopt naar hem toe. 'Dit is Kim.' Daan geeft Kim een hand.

'Hebben jullie een goede reis gehad?' informeert hij.

Kim begrijpt hem niet goed. 'We zijn niet ontspoord, hoor,' zegt ze. Ze lopen naar de trap.

Celeste stoot Kim aan. 'Hij is heel beleefd,' fluistert ze.

Daan draait zich om. 'We gaan eerst even iets drinken.'

Het is druk voor het station. Mensen rennen naar binnen en naar buiten, verkeer toetert en taxi's rijden af en aan en de tram rinkelt. Ze wachten even voor het stoplicht. 'We lopen het Damrak af,' zegt Daan.

Even later zitten ze aan een tafeltje bij een snackbar. De jongens eten een hamburger. Kim en Celeste houden het bij een cola. Een tafeltje verderop zit een heel dikke man friet te eten. 'Ze moeten een bordje ophangen. Boven de honderd kilo verboden,' zegt Coen met een grijns.

'Dat is fascistisch,' zegt Daan.

'Wat bedoel je?' vraagt Kim.

'Fascisme komt van het Latijnse woord *fasces*,' begint Daan te vertellen.

Coen onderbreekt hem. 'Sorry hoor, we zitten niet allemaal op het gymnasium. Zeg nou maar gewoon wat je bedoelt.'

Celeste geeft haar broer een schopje onder tafel. Ze wil niet dat hij Daan belachelijk maakt.

'We leven in een liberaal land,' legt Daan uit. 'Iedereen mag doen waar hij zin in heeft. Dus ook zo veel eten als hij wil.'

'Dat is echt niet zo,' zegt Kim. 'Je mag geen alcohol kopen als je nog geen zestien bent.'

'En ook geen brommer rijden,' vult Celeste aan.

'In een liberaal land zijn wel regels,' zegt Daan. 'Anders wordt het een chaos. Ik bedoel dat je niet een ander mag veroordelen omdat hij anders denkt of doet.

Op school ben ik trouwens gekozen voor de leerlingenraad. We zijn bezig met een leerlingenbeleidsplan.'

'Wat goed,' zegt Celeste. 'Wat moet je daarvoor doen?'

'We bekijken de schoolregels en dienen nieuwe voorstellen in.'

Celeste begrijpt niet zo goed wat hij bedoelt. 'Geef eens een voorbeeld?'

'Stel dat je in een groepje een werkstuk maakt en één van de drie levert zijn deel te laat in. De leraar geeft alle drie de leerlingen een onvoldoende terwijl de andere twee hun deel wel op tijd af hadden. Het cijfer heeft dus niets met de inhoud te maken. Mag de leraar dit wel doen? Is het goed of niet?'

'Geen idee,' zegt Celeste.

'Ik vind het wel eerlijk, want je maakt het samen,' zegt Kim.

'De leraar moet ontslagen worden,' zegt Coen. Ze lachen allemaal.

Daan heeft nog een voorbeeld. 'Op een schoolfeest mag geen alcohol worden gedronken,' vertelt hij. 'Bij het laatste feest hadden leerlingen wel alcohol gedronken. Niet op school, maar thuis voordat ze naar het feest gingen. Die leerlingen zijn geschorst. Ze mochten een week niet op school komen. Eigenlijk heeft school niets met thuis te maken. Dus de vraag is of die beslissing wel juist is.'

'Wat een moeilijke vragen bedenk jij,' zegt Kim.

'We moeten het samen eens worden,' zegt Daan. 'Er staat natuurlijk niet in de schoolregels dat je thuis geen biertje mag drinken.'

'Maar alcoholgebruik onder de zestien is toch verboden, of je het thuis drinkt of op school?' zegt Celeste.

'Mag alcoholvrij bier wel?' vraagt Kim.

'Het is mij te ingewikkeld,' zegt Coen. 'Zullen we het ergens anders over hebben? Heb je nog gesurfd?' De jongens praten over surfen in Nederland. Kim kijkt op haar horloge. 'Blijven we hier de hele dag zitten?' fluistert ze. 'Ik wil nog wel shoppen.'

Celeste knikt. 'Gaan jullie mee?'

Nu lopen Kim en Celeste voorop. Op de Dam blijven ze bij een mimespeler staan kijken.

'Knap,' vindt Kim. Coen probeert ook robotachtig te bewegen.

Ze lachen allemaal.

'Hebben jullie het monument op de Dam wel eens bekeken?' vraagt Daan.

'Je bedoelt die paal voor de Bijenkorf?' zegt Kim.

'Met dodenherdenking worden er kransen neergelegd,' zegt Celeste. Ze kijkt een beetje geïrriteerd naar Kim. Coen maakte al grapjes over de geleerdheid van Daan. Nu begint Kim ook al te geinen. Daan loopt voor de anderen uit. Hij zoekt een rustig plekje uit naast het monument.

'Dit is een nationaal monument,' vertelt hij. 'De pyloon, zo heet de betonnen paal, is 22 meter hoog.'

Celeste ziet vier geboeide mannen afgebeeld. Aan weerszijden staat nog een mannenfiguur met een huilende hond. Wat hoger ziet ze een vrouw met een kind. Ze heeft een krans om haar hoofd terwijl duiven om haar heen vliegen. Duiven verbeelden hoop en vrede, weet Celeste.

Daan wijst naar de beeldengroep. 'Het staat symbool voor de ellende, het verzet en de overwinning van de Tweede Wereldoorlog. Het is een eerbetoon aan alle Nederlandse slachtoffers van de oorlog en van vredesmissies waar ook ter wereld.' Er komen een paar mensen bij staan. Ze luisteren belangstellend mee. Daan voelt zich duidelijk op zijn gemak. 'Hier staat een Latijnse tekst,' zegt hij en leest de woorden langzaam op. *'Hic ubi cor patriae monumentum cordibus intus quod gestant cives spectet ad astra dei.'*

Het is even stil. Een paar mensen klappen en lopen verder. Celeste wil vragen wat de woorden betekenen. Ze weet niet of Daan die moeilijke Latijnse woorden al kan vertalen. Kim schiet in de lach. Celeste voelt zich rood worden. Schaamt ze zich nou omdat Daan zo veel weet? Ze schaamt zich nog meer omdat ze zich schaamt.

'Ga met de pet rond,' geint Coen. 'Net als de mimespeler.'

Daan besluit het bij het voorlezen van de Latijnse tekst te laten. 'Het is dus een eerbetoon,' mompelt hij. 'Op de muur staat nog een verhaal van Roland Holst. Dat is een Nederlandse dichter.

Het gaat over de vrijheid.'

'Wat een nerd,' fluistert Kim. 'Ik ga shoppen, desnoods alleen.'

'Hij weet gewoon heel veel,' verdedigt Celeste hem. Toch voelt ze zich nogal ongemakkelijk met de situatie. Ze wil niet dat Kim alleen gaat shoppen.

'We lopen even de Kalverstraat in,' zegt ze tegen de jongens. 'Gaan jullie mee?'

Daan kijkt een beetje verstoord. 'Willen jullie niet nog iets bekijken?' vraagt hij. 'Winkels zijn overal en in Amsterdam is echt veel te zien.'

'In de Kalverstraat is ook veel te zien,' zegt Kim. Ze draait zich om en loopt weg.

'Weet je een surfzaak?' vraagt Coen.

Daan knikt. 'Kom maar mee,' zegt hij.

'We zien elkaar om vier uur weer bij de snackbar op het Damrak,' beslist Coen.

Celeste rent achter Kim aan. 'Wat ben je bot,' zegt ze. Het voetgangerslichtje knippert op groen. Kim en Celeste steken over en lopen de Kalverstraat in. 'Ik word helemaal gestoord van die Daan. Hij weet alles zo goed,' zegt Kim. 'Dat je daar tegen kunt.'

'In Frankrijk hadden we goede gesprekken,' zegt Celeste. 'Ik vind het wel fijn om met hem te praten. Het gaat tenminste ergens over.'

Kim blijft voor een etalage staan. 'Alle kleding is paars,' zegt ze. 'Zou paars me staan?'

'We gaan het gewoon proberen en passen alles aan wat ons leuk lijkt.'

Ze lopen de zaak in. Kim en Celeste kiezen ieder vier kledingstukken uit. Ze bekijken zichzelf en elkaar voor de spiegel.

Celeste past een kort T-shirtje met een V-hals. 'En?' vraagt ze.

'Zal ik een maatje groter pakken?'

'Je lijkt mijn moeder wel,' zegt Celeste lachend.

'Kunnen jullie een keuze maken?' vraagt de winkeljuffrouw. 'We denken er nog even over na,' zegt Kim.

Ze gaan naar de volgende winkel.

'Echt genieten,' zegt Kim als ze op pumps met naaldhaken wiebelend rondstapt. 'Eindelijk geen mama die zegt dat het me niet staat of niet past.'

'Vind jij je moeder soms ook zo bemoeierig?'

'Ze wil alles weten,' antwoordt Kim. 'Net of je op de middelbare school opeens andere dingen gaat doen...'

'Zoals?'

Kim trekt haar schouders op. 'Pumps passen misschien?'

'Geef aan niemand je telefoonnummer.' Celeste doet de stem van haar moeder na.

'Blijf bij elkaar meisjes, wat er ook gebeurt.' Kim heft waarschuwend haar vinger op. Ze gieren van de lach.

'Ach,' zegt Kim. 'Mijn tactiek is op tijd thuiskomen. Dan vindt mama alles wel best.'

'O ja,' zegt Celeste. 'Over tijd gesproken. We moeten wel om vier uur bij die snackbar zijn.'

Ze haasten zich terug. Het is druk in de winkelstraat. Kim blijft staan voor een winkeltje. Buiten staat een rij mensen te wachten.

'Is het hier gratis?' vraagt Kim aan een vrouw.

'Deze zaak verkoopt het lekkerste ijs van Amsterdam. Het kost maar tachtig cent.'

Kim sluit aan in de rij. 'Ik trakteer,' zegt ze.

Celeste kijkt op haar horloge. 'We komen te laat.' De rij schuift door.

'Ik ben zo aan de beurt,' zegt Kim en verdwijnt naar binnen.

'Ik wacht hier op je.' Celeste blijft buiten staan. Ze heeft even geen zin meer om tussen de mensen in gepropt te staan. Drommen mensen lopen langs, in alle maten en kleuren. Opeens heeft ze het gevoel dat er iemand naar haar kijkt. Verderop staan een paar jongens. Een van hen roept iets naar haar. Celeste draait zich om. Ze doet net of ze niets gehoord heeft. Het liefst zou ze de ijswinkel in lopen, maar dan mist ze Kim waarschijnlijk. Ze blijft staan.

De jongen loopt naar haar toe. Hij draagt een wit overhemd met een gouden kettinkje om zijn hals. 'Hoi,' zegt hij. 'Wacht je op je vriendje?'

'Nee,' antwoordt Celeste. Ze doet een stapje naar achteren. Celeste staat op de hoek van een steegje. Achter haar staat het groepje jongens.

'Ben je een dagje aan het shoppen?' vraagt de jongen.

'Ja, met mijn broer.' Celeste hoopt dat de jongen verder loopt.

'Heeft hij bruine krullen?'

Hoe weet de jongen dat? Celeste voelt zich ongemakkelijk. Ze heeft helemaal geen zin in dit gesprek. 'Ik moet weg,' zegt ze. Twee jongens staan nu vlak achter haar. Ze staat in de drukke winkelstraat en toch kan ze geen kant op.

'Relax,' zegt de jongen met het witte overhemd. 'We zijn vrienden. We dollen wat met je. Dat doen we alleen met leuke meisjes.'

Celeste schrikt en stapt naar achteren. Een jongen pakt haar bij haar middel. Heel even maar. 'Mag ik je telefoonnummer?' vraagt hij.

Telefoonnummer! Celeste realiseert zich de opmerking van mama. 'Nee, ik moet weg,' zegt ze.

'Ons schatje is een katje,' zegt de jongen met het witte overhemd plagend. Ongemerkt staat ze al een stukje verder in de steeg. Ze ziet de mensen door de winkelstraat lopen, niemand let op haar. Waar is Kim? Celeste voelt haar hart bonken in haar borstkas. Ze wil iets zeggen, maar hapt naar adem. Er komt geen geluid uit haar keel. Een vrouw met in iedere hand een boodschappentas loopt de steeg in.

'Mag ik even passeren?' vraagt ze vriendelijk. De jongen met het witte overhemd doet een stap opzij. In een reflex rent Celeste de steeg uit en botst bijna tegen Kim op.

'Waar was je nou? Je ijs smelt.' Kim duwt Celeste een hoorntje in haar hand. 'He, wat is er? Je ziet net zo wit als je slagroomijsje.'

Celeste loopt zo hard als ze kan weg. Zigzag tussen de mensen door.

'Wacht even.' Kim haast zich achter haar aan. Ze pakt Celeste bij haar arm.

'Waarom ren je zo hard weg? Coen en Daan wachten heus wel op ons.'

'Er waren een paar jongens,' vertelt Celeste. 'Ik was hartstikke bang.'

'Echt, ik was maar een minuutje in de ijswinkel. En jij bang voor jongens?'

'Ik verzin het niet.' Celeste neemt een hap van haar smeltende ijs. Het hoorntje trilt in haar hand.

'Sorry,' zegt Kim. 'Mama zei nog dat we bij elkaar moeten blijven.'

'Ik ga het thuis echt niet vertellen,' zegt Celeste.

'Dan moet je het ook niet aan Coen vertellen.'

Celeste doet haar middelvinger over haar wijsvinger. '*Fingers crossed*,' zegt ze geheimzinnig.

Om halfvijf komen de meiden de snackbar binnen. Ze moeten even zoeken voordat ze de jongens vinden. 'Sorry, sorry,' zegt Celeste. 'Het was heel druk onderweg.'

'Hebben jullie je vermaakt?' vraagt Coen.

'Super,' antwoordt Kim. Ze trekt een paars T-shirt uit haar rugzak. 'Van mijn kleedgeld. Vind je het staan?'

Daan pakt de arm van Celeste vast. 'Vind je het leuk als ik je nog eens schrijf?' vraagt hij.

'Ja, natuurlijk,' zegt Celeste.

'Je moet het eerlijk zeggen.' Daan kijkt heel serieus.

Celeste aarzelt. 'Ik weet het niet,' zegt ze.

'Dat dacht ik al,' zegt Daan.

'We moeten even sprinten naar het station,' roept Coen. 'De trein vertrekt over vijftien minuten. Dag Daan.' Coen geeft Daan een vuistgroet.

'Doei,' roept Kim. Ze stopt snel het T-shirt weer in haar rugzak.

Daan geeft Celeste twee kussen op haar wangen. Hij zegt niets. Celeste weet ook niet wat ze moet zeggen. Ze rent achter de anderen aan de Mac Snack uit.

Even later zitten ze in de trein.

'Daan *exit*,' zegt Coen op besliste toon.

'Dat bepaal jij toch niet?' zegt Celeste.

'Ik heb hem wel drie uur moeten aanhoren toen jullie gezellig door de stad liepen. Nooit meer.'

'Ik vind hem ook saai,' zegt Kim giechelend. 'Echt een nerd. Maar een dagje Amsterdam was wel cool.'

Celeste kijkt naar buiten. Ze vindt Daan wel heel aardig, maar hij weet gewoon te veel. Waarom ben je niet populair als je een nerd bent?

10.

Celeste rent de trap af. Ze pakt haar jas van de kapstok en twijfelt even. Met haar jas aan ziet ze er sloom uit. Celeste hangt de jas terug en loopt met twee treden tegelijk de trap op. Ze doet haar sweater over haar T-shirt aan en kijkt even in de spiegel. De blauwe sweater staat mooi, maar ze kan natuurlijk niet elke dag hetzelfde dragen. Die leuke kleren in Amsterdam waren echt heel duur. Ze heeft meer kleedgeld nodig... Volgende week zal ze het met mama overleggen. Vandaag heeft mama haar trein al betaald.

Celeste loopt weer naar beneden. Mama en papa kijken naar het achtuurjournaal. 'Mam, ik ga even bij Kim langs.'

Mama zet de tv iets zachter. 'Lieverd, je bent de hele dag met Kim in Amsterdam geweest. Zijn jullie nu nog niet bijgepraat!'

'Het is zaterdagavond,' zegt Celeste. 'Coen is toch ook even naar zijn vrienden. Moet ik de hele avond op de bank zitten?'

'Je hebt nog niet eens verteld hoe het met Daan ging.'

'Is dat een verwijt?' Celeste kijkt op haar horloge. 'Ik ga nu, Kim wacht op me.'

'Moeten jullie ergens zijn?' vraagt mama.

Celeste kijkt papa aan met een blik van 'help me even'. Ze heeft helemaal geen zin in het gevraag van mama. Als ze moet uitleggen dat ze met Kim het dorp wil ingaan, gaat mama vragen wat ze precies gaan doen. Gehang op straat vindt ze niets. Dan mag ze zeker niet weg... Papa heeft haar blik begrepen.

'Is negen uur thuis een goede tijd?' vraagt hij.

'Prima,' zegt Celeste. 'Kusje.' Ze geeft mama en papa een kus en loopt snel de kamer uit. Celeste hoort dat mama in discussie gaat met papa. Ze trekt de keukendeur zachtjes achter zich dicht.

Kim staat voor haar huis te wachten. Ze draagt haar nieuwe T-shirt. 'Je ziet er goed uit,' zegt Celeste. 'Ik draag al de hele week dezelfde sweater. Hoeveel kleedgeld krijg jij eigenlijk?'

'Veertig euro per maand, maar soms betaalt mijn moeder per ongeluk twee keer.'

'Zeg je dat dan niet?' vraagt Celeste verbaasd.

'Mama wil dat ik goede kwaliteit kleding koop,' antwoordt Kim ontwijkend. 'Anders geeft het af in de was of krimpt het.'

'Mijn T-shirts mogen best wat krimpen,' zegt Celeste. 'Ik heb zo'n hekel aan die slobberspullen. Bij Naomi staat alles leuk omdat het haar goed past.'

'Waarom heb je het steeds over Naomi?'

'Bij haar gaat alles zo soepel,' zegt Celeste. 'Ik voel me vaak zo ingewikkeld.'

Kim slaat haar arm om Celeste heen. Ze lopen de straat uit en slaan af naar het centrum.

'Dus als je twee keer veertig krijgt is dat eigenlijk tachtig per maand,' concludeert Celeste. 'Dat ga ik ook aan mijn ouders voorstellen.'

Kim schiet in de lach. 'Als jij het rond hebt, zeg het dan even. Dan probeer ik ook tachtig, want ik wil liever eerlijk zijn.'

'Heb jij nog iets verteld over Amsterdam?' vraagt Celeste.

'Zero, dat hebben we toch afgesproken.' Kim steekt haar gekruiste vingers omhoog en steekt over naar het groepje. Jan, Hugo, Sam en Naomi zitten naast elkaar op het muurtje voor de deur van de jeugdsoos. Celeste ziet een aanplakbiljet op de deur hangen. Over twee weken is er een open avond voor de jeugd van 10 tot 14 jaar met als thema 'vakantie'.

'School is allang begonnen,' mompelt ze.

'Kom erbij,' zegt Jan en schuift een stukje op. Kim gaat naast hem zitten.

'We zijn vandaag in Amsterdam gaan shoppen,' vertelt ze. '*Look at me.*' Kim springt weer van het muurtje af en draait een rondje.

'Staat je goed,' zegt Naomi. 'Zijn jullie samen gegaan?'

'We waren met zijn drieën. Coen was ook mee,' antwoordt

Celeste. Ze gaat naast Hugo op het muurtje zitten. Hij draagt een wijde broek en een shirt met capuchon. Hugo ziet er stoer uit.

Naomi leunt met haar rug tegen Sam aan. 'Wie wil er een slokje cola?' Als ze een flesje uit haar tas pakt, doet ze net of ze van het muurtje valt. Sam slaat zijn arm om haar heen. Gearmd blijven ze zitten.

'Waar ben je geweest in Amsterdam?' vraagt Hugo.

'Bij de Mac Snack en in de Kalverstraat,' vertelt Celeste.

'Op de Dam heeft Daan ons het monument laten zien. Echt lekker toeristisch,' zegt Kim.

'Wie is Daan?' roept Naomi.

'Daan woont in Amsterdam,' zegt Celeste. 'Ik heb hem in Frankrijk ontmoet.'

Ze vindt het wel interessant klinken. Naomi kan hier niet over meepraten.

'Dus jullie waren helemaal niet met zijn drieën,' stelt Hugo vast.

'We reisden wel met zijn drieën in de trein,' zegt Celeste. Ze heeft het gevoel dat ze zich moet verdedigen.

'Net zei je nog dat jullie met zijn drieën waren.' Hugo kijkt strak voor zich uit.

'Sorry,' zegt Celeste. Het was helemaal niet haar bedoeling om iets anders te zeggen. Hugo reageert niet op haar excuus. Hij zegt niets meer tegen haar. Hij praat met Jan en Naomi over Amsterdam. Celeste luistert naar het gesprek. Het gaat over toeristen en waterfietsen op de gracht. Ze weet niet zo goed meer wat ze zal zeggen. Ze wiebelt met haar schoenen heen en weer en kijkt even op haar mobieltje.

Het is halfnegen. Aan de overkant van de straat haasten de laatste klanten van de supermarkt zich met een kar vol boodschappen naar hun auto of fiets. Een medewerker van de supermarkt duwt een rij wagentjes de winkel in. De man ziet het groepje zitten en steekt de weg over.

'Hoi jongens,' zegt hij. 'De eigenaar van de supermarkt wil niet dat jullie hier zitten.'

'We doen toch niets verkeerd?' zegt Kim.

'Klanten vinden het niet prettig,' legt de man uit. 'Hangjongeren komen vaak negatief in de media.'

'Hangjongeren!' Celeste schiet in de lach. 'We zitten hier alleen maar te praten. We drinken niet, we roken niet. We doen niets verkeerd.'

'We blijven gewoon zitten,' zegt Sam.

'Jullie weten ervan,' zegt de man en duwt de karretjes verder.

'Wat een onzin,' zegt Kim. 'Die man moet een dag naar Amsterdam gaan. Daar krijg je meteen drugs aangeboden. Toch, Celeste?'

'Had je moeten doen,' zegt Naomi. 'Ik wil wel eens weten hoe het eruitziet.'

'Het is rommel,' vertelt Hugo. 'Het lijkt op kattenbakstrooisel.'

'Heb je het geprobeerd?'

'Ik heb het op tv gezien,' zegt Hugo. 'Ik hoef dat spul niet. Je hoofd raakt in de war.' Hij staat op en doet net of hij *stoned* rondloopt. Op dat moment komt de eigenaar van de supermarkt naar buiten. Het is een kleine man met een colbertje aan en een kaal hoofd. Celeste heeft hem wel eens in de zaak gezien. Op een holletje steekt hij de weg over.

'Wegwezen jongelui!' zegt hij. 'Jullie hebben hier niets te zoeken.'

Celeste en Kim staan meteen op.

'Meneer, we zitten hier heel gezellig te praten,' zegt Jan.

'Komt u er bij zitten?' vraagt Hugo. Hij maakt heel beleefd een buiging. Naomi giechelt met haar hand voor haar mond.

'Geen brutaliteiten,' zegt de eigenaar bits. 'Dit is een waarschuwing. De volgende keer neem ik maatregelen.' Hij draait zich om, steekt de weg over en gaat de winkel binnen.

'Agressieve man,' vindt Sam.

'We laten ons niet door zo'n minkukel wegjagen,' zegt Hugo.

'Ik heb helemaal geen zin in problemen,' zegt Kim.

'Wie maakt hier problemen?' zegt Hugo. 'We zitten op gemeentegrond. Ik klaag die man aan. De jeugdsoos gaat pas over twee weken open.' Hij wijst naar de gesloten deur. 'Trouwens, op een mooie zomeravond ga je niet voor je lol in een kelder zitten.

Waarom mogen we niet op een muurtje relaxen?'

'Straks belt die meneer minkukel de politie,' zegt Celeste.

'Tante tuttebol,' zegt Hugo grijnzend. 'We blijven gewoon zitten.'

Hugo spreekt op zo'n toon dat niemand hem durft tegen te spreken. Naomi giechelt. Celeste voelt zich weer ongemakkelijk. Als ze nu met Kim weggaat, is ze soft. Ze hoort er dan echt niet meer bij. Tante tuttebol klinkt niet oké. Celeste wil met een goede reden vertrekken. Ze bedenkt een plan. 'Waar staat je brommer?' vraagt ze aan Sam.

'In het schuurtje,' antwoordt die.

'Zullen we nog even?' Naomi springt van het muurtje. Hugo staat ook op en de anderen volgen. Celeste zucht opgelucht. Alles is beter dan demonstratief op het muurtje blijven zitten en de eigenaar van de supermarkt treiteren.

Ze lopen de straat uit naar het huis van Sam. Hij woont in een rijtjeshuis aan de rand van het dorp. Binnen brandt licht, de tv staat aan.

'Dit gaat niet lukken,' zegt Sam.

'Ik bel aan en vraag of je thuis bent,' zegt Naomi giechelend. 'Intussen pak jij de brommer uit het schuurtje.'

'Hoezo?' vraagt Celeste.

'Dom blondje,' zegt Hugo.

Celeste voelt dat ze een rode kop krijgt. Natuurlijk mag Sam niet op die brommer rijden. Ze heeft weer eens een idioot plan bedacht. Dit is nog erger dan op het muurtje zitten! 'Zullen we iets anders gaan doen?' zegt ze gauw.

Sam laat zich niet kennen en Naomi loopt al naar de deur. 'Ik praat wel even,' zegt ze met een grappig stemmetje. Ze gebaart dat de anderen even door moeten lopen.

Hugo, Jan, Kim en Celeste wachten bij de uitgang van het achterpad. Sam rent het pad in naar het schuurtje en Naomi belt aan bij de voordeur. Ze is weer helemaal Naomi, denkt Celeste bij zichzelf. Ze doet dingen die zij nooit zou durven doen. Naomi krijgt het altijd voor elkaar.

Een minuutje later duwt Sam de brommer door de achterpoort

het bospad op. Celeste volgt met de anderen. In het bos wachten ze even op Naomi.

'Best stoer,' zegt Kim. Celeste kijkt naar haar supervriendin. Vindt Kim het echt stoer? Ze weet zelf niet zo goed meer wat ze vindt. Ze heeft een raar gevoel. Een soort citotoetsgevoel. Misschien een beetje stress. Ik doe toch niets verkeerd? denkt Celeste. Nou ja, mama denkt dat ze bij Kim zit.

Ze slaan een bospad in. Sam duwt de brommer tot ze een stukje van de huizen verwijderd zijn.

'Stel dat je neef de brommer nodig heeft...' zegt Celeste.

'Toevallig weet ik dat hij vanavond vrij is en naar de film gaat.' Sam start de brommer.

'Om de beurt een rondje?' stelt Naomi voor.

Ze springt achterop. Sam scheurt weg over het bospad. Hij slingert langs een paar bomen. Aan het einde van het pad keert Sam en rijdt met flinke vaart terug.

Hugo neemt de brommer van hem over. Naomi stapt af. Jan gaat achterop zitten.

De jongens crossen een rondje.

'Hij rijdt als een zonnetje,' zegt Hugo. Hij stapt af en Jan schuift naar voren. Hij geeft gas. 'Wie van de dames?' vraagt hij.

Kim en Celeste kijken elkaar aan.

'Ga jij maar,' zegt Celeste. Kim stapt achterop bij Jan. Ze rijden weg.

'Wil je niet of durf je niet?' vraagt Hugo.

Celeste schudt haar haar naar achter. Ze wil geen dom blondje zijn, ze wil geen bange tante tuttebol zijn... Wat is ze dan wel? Waarom wil ze niet achterop? Omdat het niet mag? Omdat ze zelf heeft gezegd dat brommer rijden gevaarlijk is? Maar achterop mag toch wel. Alleen de bestuurder is verantwoordelijk, heeft mama gezegd. Intussen is Jan weer terug. Hij wisselt met Hugo.

Nu of nooit, denkt Celeste. Ze stapt achterop en slaat haar armen om Hugo heen. 'Zit je goed?' vraagt Hugo.

'Ja.'

Hij geeft gas. Celeste ziet de bomen langsflitsen. Vanbinnen voelt het net als van de hoge glijbaan in het zwembad. Hugo mindert vaart om te draaien. 'Iets meegaan met je gewicht,' zegt hij. 'Ja, super.' Hugo geeft gas, Celeste klemt haar armen weer om zijn middel. Het nare gevoel dat ze niet goed genoeg is, is even helemaal weg.

11

Het is maandag. Na schooltijd blijven Kim en Celeste nog even op de stoep van de school in de zon zitten. Jan loopt naar ze toe. Hij draagt zijn rugzak half over zijn schouder. Zijn broek hangt op zijn heupen. Zo lopen alle oudere jongens erbij. Jan heeft zich helemaal aangepast, ziet Celeste.

'Hebben jullie Hugo gezien?'

'Nee,' antwoordt Celeste. Ze vindt het dom om te zeggen dat ze ook al naar Hugo uitgekeken had. Jan gaat naast de meiden zitten.

'Hebben jullie het huiswerk van Frans opgeschreven?' vraagt hij.

'Zodra de bel gaat, praat meneer Scholten zo snel, net of hij doorgespoeld wordt. Ik heb het niet op kunnen schrijven.'

Celeste haalt haar agenda uit haar rugzak. 'Paragraaf 2.2 lezen, woordjes leren F-N.'

'Wat betekent F-N?'

'Frans Nederlands,' legt Kim uit. 'Je moet leren wat de Franse woordjes betekenen.'

'Hoef je ze niet andersom te kennen?'

Celeste kijkt weer in haar agenda. 'Nee, dan zou er N-F staan.'

Ze pakt haar Franse boek uit haar rugzak. 'Bruggers, de school is uit. Ga lekker buiten spelen!' roept een oudere jongen.

'Het is dom om voor de school in je schoolboeken te kijken,' zegt Kim.

'Dat wist ik niet,' fluistert Celeste. Ze stopt snel haar boek in haar tas en wil opstaan.

'Relax,' zegt Kim. 'Laat je niet wegjagen.' Ze leunt een beetje achterover en houdt haar gezicht in de zon. Verderop staat een groepje jongens en meisjes. Celeste schat dat ze een jaar of zestien zijn. Ze vangt stukken van het gesprek op. Ze praten over een feest in de sporthal. Celeste heeft op een poster gezien dat DJ Johni optreed.

'Kennen jullie DJ Johni?' vraagt ze.

'Hij is wel bekend. Laatst hoorde ik zijn naam op de radio,' antwoordt Jan. 'Gaat Coen naar dat schoolfeest?'

'Het is een feest voor boven de zestien,' vertelt Celeste. 'Coen zit pas in de tweede.'

'Het lijkt me wel stoer, zo'n feest,' zegt Kim. Ze schudt haar donkere krullen naar achteren. 'Lekker dansen, met een echt DJ. We zitten op de middelbare en we worden nog behandeld als kinderen.'

Jan kijkt op zijn horloge. 'Op de basisschool zaten we nu nog in de klas,' zegt hij opgewekt. 'Wij zijn lekker vrij.'

'Dan blijven we nog even zonnen,' beslist Celeste. 'Thuis vraagt mama naar mijn huiswerk. Ze wil me zelfs overhoren. Echt onzin.'

'Heb jij het nog over kleedgeld gehad?'

'Mama vindt dat ik met oppassen de rest wel kan bij verdienen. Naast ons woont een gezin met twee kleine kinderen. Gistermiddag ben ik even langs geweest om het oppassen af te spreken. Vrijdag ga ik voor het eerst oppassen van acht tot tien. Ik verdien vier euro vijftig per uur.' Celeste kijkt niet erg vrolijk. Ze vindt het jammer van de vrijdagavond. Als de anderen iets afspreken mist ze dat.

'Een moordbaan,' zegt Jan. 'Je zit op de bank tv te kijken en je verdient nog ook.'

'Ik moet wel oppassen, hoor.'

'Kleuters gaan om zeven uur naar bed,' zegt Jan. 'Mijn zusje en broertje zijn om vijf over zeven al dik in dromenland en slapen tot de volgende morgen door. Dat oppassen is een makkie.'

'Als je je verveelt, kom ik wel even langs,' zegt Kim. 'Gaan we samen een filmpje kijken en cola drinken. Vroeger zette mama altijd cola en chips voor onze oppas klaar,' weet Kim zich te herinneren.

'Hé, daar krijg ik dorst van. Ik haal binnen een flesje uit de automaat.' Jan staat op. Kim loopt even met hem mee. Celeste knijpt haar ogen tot spleetjes. Als ze vier avonden per maand oppast heeft ze ook tachtig euro kleedgeld. Misschien toch wel leuk, zo'n baantje. Ziet ze nou Hugo bij het fietsenrek lopen? Ze zal even tegen hem zeggen dat Jan er ook nog is.

Celeste loopt langs het groepje vierdeklassers. Een paar meisjes staan gearmd met elkaar. Een jongen heeft zijn arm om een meisje heen. Een andere jongen rookt een sigaretje. Ze zou echt graag zestien willen zijn. Met zestien mag ze vast alles zelf beslissen. Ze zou zeker naar het feest in de sporthal gaan.

Bij het fietsenrek blijft ze staan. Onder de overkapping is het donker. Celeste knippert met haar ogen. Waar is Hugo? Zijn fiets staat er nog. Een stukje verderop staan twee leerlingen te zoenen. Celeste vindt het dom om te blijven staan. Net of ze zit te gluren. Haar ogen raken gewend aan het donker. Ze ziet Hugo niet en wil zich omdraaien. Opeens voelt ze een steek in haar borst. Het donkere haar van het meisje lijkt op het haar van Naomi. De jongen draagt net zo'n wijde broek als Hugo. Naomi staat met Hugo te zoenen!

Celeste draait zich met een ruk om en loopt langzaam terug naar Kim en Jan. Dit had ze niet verwacht… Wat een gemene rotstreek! Waarom laat Hugo haar zitten? Celeste vecht tegen haar tranen. Stel je voor dat de vierdeklassers haar zien janken. Dat lijkt haar nog erger dan wat ze net gezien heeft. Ze veegt met haar mouw langs haar ogen en probeert de brok in haar keel in te slikken.

'Wil je een slokje?' Jan geeft haar het flesje energiedrank.

Celeste drinkt het hele flesje leeg.

'Dat is aso,' zegt Jan.

'Sorry, ik haal wel een nieuwe.' Celeste loopt snel naar binnen. In de wc maakt ze haar gezicht nat. Ze lacht naar zichzelf in de spiegel. Een namaaklach. Door het koude water gaat het wel weer. Ze haalt een flesje drinken en gaat weer bij de anderen zitten. Is het flauw om te vertellen wat ze gezien heeft? Weer zo'n ingewikkelde vraag. Ze zit een beetje in elkaar gedoken en staart voor zich uit.

'Chagrijnig?' vraagt Kim.

Celeste doet haar mond open en weer dicht. Haar keel wordt dichtgeknepen. Als ze vertelt dat Hugo en Naomi staan te kussen, gaat ze misschien toch huilen. Dat is het laatste wat ze wil. Celeste besluit haar mond te houden.

Jan staat op. 'Gaan jullie mee? Ik zie Hugo zijn fiets uit het rek halen.' Celeste en Kim lopen met hem mee. Celeste ziet niets bijzonders aan Hugo. Hij wacht met zijn fiets aan de hand. Naomi is nergens te bekennen. Even twijfelt ze of ze het wel echt heeft gezien. Als het een droom zou zijn, dan is het wel een nachtmerrie...

Thuis loopt Celeste meteen door naar haar kamer. Ze zet muziek op, lekker hard.

Ze trekt haar klerenkast open. Ze pakt de stapels met T-shirts en truitjes en legt de kleren op haar bed. Een voor een bekijkt ze de shirtjes, sommige past ze even. De slobbershirts en saaie truitjes gooit ze op een hoop. Als ze ooit nog kans wil maken bij Hugo, moet ze er niet zo verschoten en slobberig bijlopen.

Mama klopt op de deur. Ze wacht niet op antwoord maar stapt meteen naar binnen. 'Wat ben je aan het doen?' vraagt ze. 'Heb je geen huiswerk? Mag de muziek iets zachter, ik versta je zo niet.'

'Mam, laat me nou maar!' roept Celeste. Ze bekijkt zichzelf in de spiegel.

Mama draait zelf de cd-speler iets zachter.

'Dat T-shirt zit echt te strak.'

Celeste draait zich met een ruk om. 'Laat me nou!' schreeuwt ze. Ze gaat midden tussen de kleren zitten met haar rug tegen het bed en barst in huilen uit. Ze slaat haar armen om haar hoofd. Ze wil even niets meer zien of horen.

Mama doet haar mond open en weer dicht. 'Ik wil niet dat je naar me schreeuwt,' mompelt ze zachtjes. Dan gaat ze naast Celeste zitten.

'Sorry,' zegt Celeste. 'Alles is rot vandaag.'

'Wat is alles?'

'Mijn kleren staan suf, mijn haar zit dom, gewoon alles.'

Zal ze het zeggen van Hugo en Naomi? Nee, ze wil geen moederskindje zijn. Ze wil het zelf oplossen. Celeste wrijft in haar ogen. 'Mam, het gaat wel weer. Ik ruim gewoon mijn klerenkast op. Sommige kleren waren leuk op de basisschool, maar nu niet meer.'

'Ik zal je een plastic zak geven,' zegt mama. 'Het is goed dat je de boel ordent.'

Ze staat op om beneden een plastic zak te halen.

Celeste haalt haar boeken uit de tas. Ze legt de Franse boeken vast op haar bureau, dan ziet mama dat ze heus wel van plan is om te leren.

Met de Franse woordjes is ze snel klaar. Celeste denkt weer aan vanmiddag.

Het liefst wilde ze dat ze het niet gezien had. Wat moet ze doen? Naar Hugo toegaan om te vragen of hij verliefd op Naomi is? Nee, dat zou pas belachelijk zijn. Of moet ze vragen of hij nog wel verkering met haar wil? 'Doe niet zo triest,' zegt ze hardop tegen zichzelf. Het is toch allang uit of niet? Hugo heeft sinds zaterdagavond niets meer tegen haar gezegd. Toch was het brommer rijden wel heel cool en eigenlijk blijft ze hem leuk vinden. Dat is toch raar. Wat moet ze nou tegen hem zeggen? Toch maar aan mama raad vragen? Mama gaat zeker doorvragen. Moet ze dan ook zeggen dat ze bij Hugo achter op de brommer heeft gezeten? En dat het heel cool was?

Celeste pakt de huistelefoon en belt Kim op haar mobiel.

'Leuk dat je belt,' zegt Kim. 'Ken jij die Franse woordjes al? Ik haal alles door elkaar. Het lijkt zo op elkaar en hoe spreek je *fille* uit? Hé, wat is er? Je stem klinkt zo depri.' Celeste vertelt van Hugo en Naomi.

'Wat beroerd voor je,' zegt Kim.

'Ik moet steeds bijna huilen. Waarom doet Hugo zo?'

'Naomi zoent met iedereen,' zegt Kim. 'In het zwembad heb ik haar ook een keer met een andere jongen gezien.'

'En Sam dan?' Celeste begrijpt er niets meer van.

'Wat kan jou Sam nou schelen,' zegt Kim. 'Voor jou is Hugo belangrijk. Zou Hugo misschien jaloers kunnen zijn?'

'Op wie dan?' vraagt Celeste.

'Op jouw Amsterdamse vlam.'

'Doe normaal,' zegt Celeste. 'We zijn de hele middag met z'n allen de stad in geweest. Ik heb Daan nauwelijks gesproken en hij zei zelf dat het toch niets wordt. Bovendien...'

Kim onderbreekt haar. 'Dat weet Hugo toch niet,' zegt ze. 'Hij weet alleen dat je een afspraak met een jongen had in Amsterdam. Wat zou jij denken als Hugo een afspraak met een meisje in Amsterdam had?'

Celeste weet even niets te zeggen. 'Gewoon, leuk, nou ja, misschien...' mompelt ze.

'Dat bedoel ik dus,' zegt Kim. 'Jij moet gewoon aan Hugo laten merken dat je hem nog altijd leuk vindt.'

'Maar dat is toch niet *hard to get*? En moet ik aan hem vertellen dat ik hem in het fietsenhok gezien heb?'

'Natuurlijk niet,' antwoordt Kim. 'Wacht maar tot hij het zelf vertelt. Als jullie weer een beetje intiem zijn, dan zegt hij het wel.'

'Ben jij aan het telefoneren?' Mama loopt de kamer van Celeste in.

'Oh, wacht, ik moet stoppen. Tot morgen, doei.' Celeste klikt de telefoon uit en geeft het toestel aan mama. 'Even Kim bellen voor huiswerk,' zegt ze. Mama knikt.

Heeft mama iets van het gesprek gehoord? Ze hoort haar voetstappen de trap afgaan. Vreemd, denkt Celeste. Mama is echt heel lief, maar toch wil ze niet alles meer aan haar vertellen. Is het een beetje stiekem om dingen niet te zeggen? Onzin, mama heeft toch niet het recht om alles te weten. Bovendien wil ze haar eigen zaakjes oplossen.

De volgende morgen staat Celeste voor de spiegel van haar klerenkast.

'Acht uur!' roept mama beneden. Blauw of zwart? Celeste trekt het zwarte T-shirt uit en doet de blauwe aan. Coen vond ook dat blauw haar mooi staat. Of toch zwart? Zwart is een koele kleur, weet Celeste, en blauw past bij haar ogen. Vandaag wil ze er flitsend uitzien.

'Je komt te laat,' hoort ze van beneden.

Celeste pakt haar rugzak en rent de trap af.

'Je ziet er goed uit,' zegt mama. 'Heb je alles?'

Celeste stopt haar brood in haar rugzak. 'Ja, eh nee, mijn agenda.' Ze rent weer naar boven. Haar telefoon gaat. Het is Kim. 'Waar blijf je nou?'

'Ik kom er aan,' zegt Celeste. Ze geeft mama een kus en racet weg.

'Doe maar relaxed,' zegt Kim. 'We komen sowieso te laat. Hugo en Jan zijn al weg.'

'Vind je het erg?'

Kim schudt haar hoofd. Ze moeten beiden giechelen en fietsen in een kalm tempo naar school.

Bij de ingang van de school is het rustig. De lessen zijn al begonnen. Conciërge Bas staat bij de deur. 'Goedemorgen dames,' zegt hij. 'Hebben jullie je verslapen?'

'Ja,' antwoordt Celeste. Ze gaat natuurlijk niet zeggen dat ze niet kon kiezen tussen blauw en zwart.

'Ik heb jullie gewaarschuwd,' zegt de conciërge. 'Twee keer te laat betekent een taakstraf.'

'We komen u vanmiddag helpen vegen,' zegt Kim stoer.

Ze halen hun pasje door het poortje. 'Om drie uur bij de balie van de administratie,' zegt meneer Bas. 'Jullie staan geregistreerd.'

Om drie uur is klas 1D uit. Celeste sms't mama dat ze op school blijft om huiswerk te maken. Ze wachten bij de balie.

'Sorry,' zegt Celeste. 'Door mij krijg jij ook een taakstraf.'

'De zon schijnt. We gaan lekker buiten het plein vegen.' Kim geeft haar een knipoog.

'Loop maar even mee.' Meneer Bas wenkt de meisjes. 'Alle tafels in de hal schoonkrabben. De meeste kauwgom zit onder het tafelblad.'

Hij geeft ze beiden een mesje. 'Kauwgom in de prullenbak. O ja, en telefoons inleveren. Om vijf uur liggen ze klaar op de balie.' Celeste kijkt hem vragend aan. 'Sommige leerlingen doen aan werktijdverkorting,' legt de conciërge uit. Hij grijnst, zodat zijn snor omhoog beweegt. 'Succes dames.' Meneer Bas loopt weg.

'Bah,' zegt Kim. 'Weinig zon hier,' zegt Celeste. Samen kiepen ze de eerste tafel om. Het kauwgom loskrabben is best lastig. De klonten gaan het makkelijkst. Sommige stukken zijn uitgesmeerd en zitten muurvast.

'Dit is snot,' zegt Kim vol afschuw en wijst naar iets groenigs.

'We doen alleen de kauwgom,' beslist Celeste. Ze werken verder. Na een uurtje tellen ze de tafels. 'We zijn nog niet eens op de helft,' zucht Celeste. 'Alles is zinloos.'

'Hoezo?'

'Mijn blauwe T-shirt heeft geen enkel effect op Hugo. Hij keek niet eens mijn kant op vandaag.'

'Misschien voelt hij zich rot over gisteren.'

'Ja hoor.' Celeste kijkt Kim lachend aan. 'Je maakt er weer iets moois van. Je weet altijd iets vervelends om te draaien tot iets leuks.'

12.

Om vijf uur fietsen Celeste en Kim naar huis. 'Vijf oproepen gemist,' ziet Celeste. Mama heeft haar proberen te bellen.
'Hoe moet ik uitleggen dat ik mijn mobiel niet opgenomen heb?'
'In de bibliotheek mag je toch niet praten of bellen,' antwoordt Kim.
'Dat is waar,' zegt Celeste. 'Ik zeg gewoon dat ik mijn mobiel uitgezet heb.'
Ze voelt de warme wind langs haar gezicht strijken. De vogels fluiten uitbundig. Met Kim samen voelt ze zich fijn. Ze kijkt haar vriendin lachend aan.
Ze rijden over het fietspad langs het bos. 'Hoor je die brommer?' vraagt Kim.
Celeste luistert. Er passeert een vrachtwagen over de weg. De chauffeur toetert en zwaait naar de meiden. Achter de vrachtwagen volgt een sliert auto's. 'Ik hoor alleen de auto's op de weg.'
Verderop staat een groen autootje met knipperende lichten half op het fietspad geparkeerd. Dichterbij zien ze dat een man in een groen pak de slagboom van het zandpad open heeft gezet. Hij rijdt het pad op.
'Het zandpad is verboden voor auto's,' weet Kim.
'Joh, dat is de opzichter,' zegt Celeste.
Kim knijpt in haar remmen zodat haar achterband slipt. Snel pakt ze haar mobiel uit haar zak. 'We moeten Sam waarschuwen,' zegt ze. 'Als hij gepakt wordt is hij de brommer kwijt.' Even later: 'Hij neemt niet op. Door de knetterende motor hoort hij zijn mobiel natuurlijk niet.'
'Probeer Naomi,' zegt Celeste.
Kim schudt haar hoofd. 'Ik krijg haar voicemail,' zegt ze.
De opzichter loopt terug naar zijn auto, start zijn motor en rijdt het zandpad in.

'Bel Hugo.'

'Wil jij bellen?'

Celeste zoekt het nummer van Hugo op. 'Wat moet ik zeggen?' vraagt ze een beetje zenuwachtig. Hugo neemt direct op. 'He, hoi,' zegt Celeste. 'Er is een opzichter in het bos. Waarschijnlijk rijdt Sam er op zijn brommer rond en....' Een klik en dan het bekende tuut-tuut-tuut-geluid. 'De verbinding is verbroken.' Celeste kijkt Kim verschrikt aan.

'Batterij leeg?'

'Nee, ik weet niet wat er is.' Celeste doet haar mobiel in haar broekzak.

'En nu? Moeten we Sam gaan zoeken?'

'Ik hoor geen brommergeluid meer in het bos,' zegt Kim

'En ik moet naar huis,' zegt Celeste.

Celeste zet haar fiets onder het afdak. Mama opent de keukendeur. 'Waar was je nou? Ik heb je wel vijf keer gebeld. Op je rooster staat dat je tot drie uur les hebt. Ik was echt ongerust en heb de moeder van Kim gebeld. Maar Kim was ook nog niet thuis. Wat hebben jullie gedaan?'

'Gewoon, nog even geleerd in de bibliotheek op school,' antwoordt Celeste. 'Het is een stilteruimte, daarom heb ik mijn mobiel uitgezet. Ik heb je toch een sms'je gestuurd!'

'Dat was om drie uur, reageer de volgende keer even als ik bel. Ik wil gewoon weten wat er met je is.'

Celeste hangt haar jas op. 'Mam, andere moeders opbellen is raar,' zegt ze. 'Wilt u dat niet meer doen?'

'Kim is toch je beste vriendin.'

'Ik heb ook een eigen leven.' Celeste loopt de trap op naar boven.

De deur van Coens kamer staat open. Celeste loopt even bij hem naar binnen. Hij zit te prutsen aan zijn lamp.

'Wat kom je doen?' vraagt Coen.

'Heb jij Sam nog gezien vanmiddag?'

'Daan, Hugo, Sam... doe jij aan jongenskwartetten?'

'Doe niet zo flauw.'

Coen knipt de lamp aan. 'Yes, reparatie gelukt!'

'Komen jullie eten?' roept mama beneden.

Coen staat op en neemt de trap met drie treden tegelijk.

Na het eten gaat papa het gras maaien met de handmaaier. De hele straat maait elektrisch, maar papa niet. Hij blijft hardnekkig volhouden dat de handmaaier prima functioneert. Coen gaat naar voetbaltraining. Celeste zit op haar kamer en bladert in haar agenda. Het geluid van de grasmaaier irriteert haar. Papa is zeker nog een uur bezig. Hij maait eerst van links naar rechts en dan nog eens de ander kant op. Celeste heeft geen zin meer om het maaigeluid aan te horen. Ze wil twee dingen weten. Ten eerste waarom de verbinding plotseling werd verbroken toen ze vanmiddag Hugo belde en ten tweede of Sam niet gesnapt is met brommeren. Celeste gaat naar beneden. 'Mam, ik ben even weg.'

'Geen sprake van,' zegt mama. 'Morgen gaat de wekker weer vroeg. Ga een mooi boek lezen. Geen afspraakjes door de week. Morgen zie je elkaar weer op school.'

'Ik mag toch zelf wel weten wat ik doe,' zegt Celeste.

Mama kijkt haar vastbesloten aan. Celeste besluit het anders aan te pakken. Ze hijst zichzelf de trap op. Een mooi boek lezen, wat denkt mama wel. Haar hoofd staat op een andere zender. Hugo bellen is geen optie. Ze wil hem even spreken, niet op school, maar privé. Het huis van Hugo is vlak naast de brievenbus. Even een brief posten lijkt haar een prima smoes. Ze pakt haar rugzak en gaat weer naar beneden. 'Mam, mag ik wel even een brief posten?'

'Leuk, heb je Daan teruggeschreven?' zegt mama. 'Zal ik een postzegel voor je pakken?'

'Ik heb een kaart met postzegel gekocht,' verzint Celeste en loopt naar buiten. Ze zwaait naar papa. Hij stopt even en wist het zweet van zijn voorhoofd. Celeste fietst snel weg. Met een goede smoes is ze ontsnapt. Wat een belachelijke regel om op een doordeweekse avond thuis te moeten zitten…

Celeste fietst naar het huis van Hugo. Ze zet haar fiets tegen een boom en haalt diep adem. Wat zal ze tegen hem zeggen? Kan ze zeggen dat ze heel erg verliefd op hem is? Nee, natuurlijk niet, dat is soft. Wat moet ze dan zeggen? Misschien is Hugo niet eens thuis. Celeste blijft besluiteloos staan.

'Hé, Celeste.' Hugo staat opeens naast haar.

'Ben je thuis?' Celeste schiet in de lach om deze domme vraag.

'Nee, ik ga nu weg,' antwoordt Hugo. 'Sam belde me net. Hij heeft huisarrest en de brommer van zijn neef staat nog ergens in het bos. Hij was bijna gesnapt en heeft toen de brommer in het bos achtergelaten. Hij vroeg me of ik 'm op wil halen. Ga je mee?'

Celeste bedenkt zich geen moment. Ze fietsen samen de straat uit.

'Vanmiddag hadden Kim en ik corvee,' vertelt Celeste. 'We moesten tot vijf uur blijven, heel vermoeiend. Toen we terugfietsten zagen we de opzichter en …

Hugo valt haar in de rede. 'Waarom heb je Sam niet gewaarschuwd?'

'Hij nam niet op. Waar was jij dan?' Celeste is benieuwd naar zijn antwoord.

'Honkballen, de training was bijna begonnen. Ik was dus al laat.' Hugo hangt met een arm op zijn stuur.

'Je hebt me zo weggedrukt,' zegt Celeste verontwaardigd.

'Sorry, ik kon niet anders.' Hugo kijkt strak voor zich uit. 'Ik moet op tijd zijn, anders word ik niet opgesteld. Ik heb een onwijs strenge coach. Hij wil ons team voorbereiden op het WK of zo.'

'Honkbalstress,' zegt Celeste.

'Jij begrijpt me tenminste,' zegt Hugo zuchtend. 'Van al dat moeten word ik echt chagrijnig. Nou moeten we die brommer nog opsporen.'

'We vinden die brommer wel,' zegt Celeste geruststellend.

'Waar dan?'

'Die opzichter reed het zandpad vanaf de weg in,' weet Celeste.

'Toen wilde Sam geen risico nemen. Hij heeft de brommer verstopt en is lopend naar huis gegaan,' vult Hugo aan.

'Waarom heeft Sam eigenlijk huisarrest?'
Hugo haalt zijn schouders op. 'Geen idee. Zijn ouders weten niet
dat hij op de brommer crost. Hij vroeg me de brommer zo snel
mogelijk terug te zetten in het schuurtje.'

Vlakbij het huis van Sam zetten ze de fietsen op slot. Ze lopen de
straat uit en nemen een pad het bos in. Het pad komt uit op de
zandweg.
Hugo heeft zijn handen in zijn zakken. Hij loopt lekker stoer, net
of het heel normaal is dat ze samen een brommer in het bos zoeken. Celeste denkt nog even aan het gesprekje op de fiets. Doet
Hugo door de honkbalstress af en toe bot tegen haar? Toch heeft
ze nog steeds het gevoel dat er iets niet klopt. Ze wil aan hem
vragen of hij nog wel verliefd op haar is. Ze probeert een goede
zin te bedenken. Het lukt maar niet. Vind je me nog wel leuk,
klinkt zo triest. Zonder iets te zeggen, lopen ze het zandpad op
en kijken links en rechts in het struikgewas.
In de verte wandelt een vrouw met een hond. Het is een zwart-
witte hond, een bordercollie. De hond rent met grote sprongen
naar ze toe. 'Nee toch,' zegt Celeste. 'Dat is mevrouw Kok, onze
buurvrouw. Als mama haar morgen spreekt, zal ze zeker weten
een opmerking maken. "Gisteravond liep uw dochter door het
bos…" We nemen dit zijpad.' Celeste trekt Hugo aan zijn arm een
smal paadje in.
'Wat heb je?' vraagt Hugo.
'Ik loop hier illegaal,' giechelt Celeste. 'Eigenlijk ben ik een brief
aan het posten.'
Hugo schiet ook in de lach. 'Weet jij een brievenbus in het bos?'
De hond rent achter ze aan en springt om de twee heen. Hugo
aait de hond. 'Naar je baas,' beveelt Celeste. De vrouw fluit en
roept. De hond luistert niet naar zijn bazin. Het beest loopt snuf-
felend het bos in.
'We volgen de hond,' zegt Hugo. Aan de roepende stem hoort
Celeste dat de vrouw dichterbij komt.
'We moeten ons snel verstoppen,' zegt ze en rent tussen de

bomen en struiken door achter Hugo aan.

'Mazzel,' zegt Hugo en blijft staan. Achter een spar ligt de brommer in de bladeren. Hugo aait de hond. 'Dit is echt dik mazzel,' zegt hij. 'Dat beest heeft een speurneus.' De hond kwispelt blij.

'Bruno! Komen!' De hond draait zich om en rent naar zijn baas.

'Bij die buurvrouw ga ik vrijdag oppassen. Ze heeft een tweeling van drie,' legt Celeste uit. 'Ik hoop niet dat ze me herkend heeft...'

'We brengen de brommer meteen terug,' valt Hugo haar in de rede. 'Top dat we het ding gevonden hebben. Het sleuteltje zit nog in het contact.'

'Of toeval,' zegt Celeste zachtjes.

Hugo hoort haar niet. Hij trekt de brommer door de bladeren naar het zandpad. Ze nemen het bospaadje en lopen zo terug naar het dorp. Bij de bosrand staat Hugo stil. 'Kijk jij even of er iemand aankomt?'

Celeste loopt de straat op en wenkt hem. Snel lopen ze naar het achterpad. 'Ik sta hier op de uitkijk,' zegt Celeste.

Hugo trekt de brommer mee en verdwijnt tussen de huizen. Celeste wacht. Vlakbij fluit een merel in een boom. Het klinkt prachtig. Kan ze haar vraag nog aan Hugo stellen? Kan ze aan hem vragen of hij haar nog leuk vindt? Is dit het goede moment? Ze hoort voetstappen dichterbij komen. Als de merel wegvliegt, zegt ze niets tegen hem. Als de merel doorfluit dan... Eigenlijk moet ze naar huis, een brief posten duurt geen uur.

'Hoi schoonheid,' klinkt er achter haar. Celeste draait zich met een ruk om. Een lange jongen van een jaar of zestien staat opeens achter haar.

'Sta je op de uitkijk?' vraagt hij.

Dat is de neef van Sam, flitst het door Celeste heen. Ze moet hem even aan de praat houden. Dan kan Hugo de brommer terugzetten.

'Ben jij Levi?' vraagt ze.

'Ken jij mijn naam ook al?' zegt Levi stoer.

'Ja, door Sam. Ik heb met hem op de basisschool gezeten,' zegt Celeste.

Hugo komt de hoek om. Hij maakt een gebaar met zijn duimen omhoog.

'Ik moet naar huis. Doeg,' zegt Celeste. Levi steekt als groet zijn hand even op.

Celeste volgt Hugo naar de fietsen.

'Is het gelukt?'

'Ja,' zegt Hugo tevreden. 'Goed dat je Levi even aan de praat hebt gehouden. Die neef van Sam is geen eitje.'

Celeste hoort de merel weer fluiten.

'Hebben we nou iets?' Celeste hoort het zichzelf vragen. De vraag klinkt vreselijk dom, vindt ze zelf. Hugo loopt dicht naast haar. Hij blijft staan bij de fietsen. 'Dat moet ik aan jou vragen,' zegt hij. 'Jij bent toch met die jongen uit Amsterdam...'

'Echt niet,' zegt ze. 'Daan heb ik alleen in de vakantie gezien, verder niet. Nou ja, we zijn een dag naar Amsterdam gegaan, beetje shoppen en zo. Maar ik heb niets met hem.'

'Oh... dat dacht ik,' zegt Hugo.

'Ik dacht dat je Naomi leuk vond,' zegt Celeste zachtjes.

'Van Naomi kom je niet zomaar af,' zegt Hugo. 'Naomi heeft af en toe aandacht nodig. Verder niets.'

Hij steekt zijn sleuteltje in zijn fietsslot. Als Celeste haar fiets van het slot haalt, raakt ze Hugo's hand. Ze voelt een schok door zich heen gaan.

'Ik sta onder stroom,' zegt ze zachtjes.

Celeste voelt zijn hand op haar rug. Hugo trekt haar een stukje naar zich toe en geeft haar een kus.

13.

De volgende dag lopen Kim en Celeste het lokaal van mevrouw Bruins in. Mevrouw Bruins staat nog op de gang te praten. Celeste tekent in haar agenda. Kim hangt onderuit in haar stoel. 'Ben je verliefd?' fluistert ze.

'Hoezo?'

'Je tekent hartjes, je ogen twinkelen en je doet de hele dag al zo blij.'

Celeste geeft Kim een duwtje zodat ze bijna achterover kiept.

'Dus ik heb gelijk...'

Celeste knikt. 'Gisteravond hebben we gezoend. Ik denk de hele tijd aan Hugo. Ik kan er gewoon niet van slapen.'

Mevrouw Bruins loopt de klas in. 'Vandaag gaan we het over "jezelf" hebben,' zegt ze. 'Wie ben je? Kun je altijd jezelf zijn?' Ze kijkt even aandachtig de klas rond. De meeste leerlingen wachten rustig af wat er komen gaat. 'Om over jezelf na te denken heb ik een werkblad gemaakt. Op ieder werkblad staat een kopie van je pasfoto,' vertelt ze verder. 'Verder staan er vragen op.' Ze deelt de werkbladen uit.

'Mijn pasfoto lijkt niet,' mompelt Kim.

Celeste bekijkt het werkblad. 'Wat ben je?' staat bovenaan. Ze zet een streepje naar: 'mijn naam', 'mijn ogen', 'iets wat ik lekker vind', 'iets waar ik goed in ben'. Dat lijkt haar allemaal nogal logisch. Bij 'mijn schoenen', twijfelt ze en stoot Kim aan. 'Zijn mijn schoenen van mezelf?'

'Natuurlijk niet. Ik heb toch ook gympen aan. Iedereen kan dezelfde schoenen kopen.'

Celeste streept 'mijn schoenen' door. 'Mijn moeder', leest Celeste. Even nadenken: Coen heeft dezelfde moeder. Bovendien is haar moeder echt niet hetzelfde als zijzelf. Hoe anders is mama eigenlijk? Ze heeft wel de blauwe ogen en de blonde haren van mama…

Jan stelt een vraag. 'Krijgen we hier een cijfer voor?'

Mevrouw Bruins glimlacht. 'Nee hoor, het gaat er alleen om dat je zelf gaat nadenken wat er bij je past.' Ze gaat de invulbladen bespreken. 'Vind je dat je voornaam bij je past?' vraagt ze. 'Of kun je wel van naam veranderen?'

'Mijn naam is precies goed,' zegt Kim. 'Ik voel me helemaal Kim. Als iemand me Samantha zou noemen, dan zou ik dat niet willen zijn.'

Celeste steekt haar vinger op. 'Ik ben een keer een meisje tegengekomen, en die heette ook Celeste. Best vreemd, omdat ze heel erg anders was dan ik.'

'Laatst nam ik de telefoon op,' vertelt Hugo. 'De vrouw van het garagebedrijf dacht dat ik mijn vader was.'

'Heb je die Porsche gekocht?' roept Jan.

De hele klas lacht. 'Je krijgt al een zware stem,' zegt mevrouw Bruins.

'Je herkent mensen vaak aan hun stem. Is je stem ook een deel van jezelf?'

Alle leerlingen knikken.

'En je handschrift?' vraagt mevrouw Bruins. 'Bij sollicitaties kan staan dat je een handgeschreven brief moet schrijven. Een grafoloog, dat is iemand die het handschrift interpreteert, kan dan inzicht in de persoonlijkheid van de schrijver krijgen.'

'Dat is onzin,' zegt Jan. 'Ik kan best netjes schrijven, maar ook lekker slordig.'

'Toch heeft iedereen wel zijn eigen handschrift,' zegt Kim. 'Ik probeer weleens zoals Celeste te schrijven, maar dat lukt maar één regel.'

Mevrouw Bruins knikt. 'Bedoel je dat het moeilijk is om anders te doen dan je zelf bent?'

Het is even stil in de klas. Celeste denkt aan gisteravond. Op de basisschool zou ze aan mama verteld hebben dat ze naar Hugo was gegaan. Nu heeft ze geen zin meer om alles aan haar ouders te vertellen. 'Kun je jezelf veranderen?' vraagt ze.

Mevrouw Bruins kijkt de groep rond. 'Wat denken jullie?'

'Ja,' zegt Jan. 'Als je ouder wordt verander je steeds. Toen ik zes was at ik het liefst pannenkoeken. Geef me nu maar een biefstukje medium gebakken.'

'Je smaakt verandert,' herhaalt mevrouw Bruins. 'Wat nog meer?'

'Je gevoel,' zegt Celeste. Ze voelt zich warm worden terwijl ze het zegt. Krijgt ze een rood hoofd? Celeste laat haar haren over haar gezicht hangen. Ze had beter niets kunnen zeggen.

'Je gevoel is een deel van jezelf,' zegt mevrouw Bruins. 'Maar je gevoel kan ook sterk wisselen. Als je verliefd bent, voel je je heel erg blij en als je een onvoldoende krijgt kun je je er heel rot over voelen.'

Celeste krijgt het nog warmer. Waarom heeft mevrouw Bruins het over verliefd zijn? Kan ze dat dan zien? Celeste kijkt schuin opzij naar Hugo. Stoere Hugo heeft ook een rood hoofd!

De zoemer gaat. 'Denken jullie nog eens na over dit gesprek,' zegt mevrouw Bruins. 'Als er nog vragen zijn, praten we de volgende keer verder.'

'Relaxed uurtje,' zegt Kim. 'Geen huiswerk, lekker kletsen.'

'Eigenlijk is je gevoel het meest van jezelf,' concludeert Celeste.

'Dat zeg je omdat je verliefd bent,' zegt Kim giechelend.

Na schooltijd fietst Celeste meteen naar huis. De hele dag is het blije gevoel bij haar geweest. Hugo zwaaide nog naar haar. Hij heeft vanmiddag weer training, weet ze. Celeste loopt zingend de keuken in. 'Hoi mam, ik ben er.' Ze wil direct door naar boven lopen.

'Kom even zitten,' zegt mama

'Wat is er mam?' Celeste schrikt een beetje. Mama's stem klinkt helemaal niet blij. Celeste zet haar rugzak neer en gaat zitten.

'Hoe was het op school?' Celeste ziet dat mama iets anders wil vragen.

'Zegt u nou maar gewoon wat er is,' zegt ze. Mama gaat tegenover haar zitten.

'Ik vind het heel vervelend als je niet de waarheid tegen me zegt,' begint mama. 'Gisteren...'

'Het is mijn eigen zaak of ik te laat kom,' valt Celeste haar in de rede. 'Je roept iedere morgen wel drie keer dat ik op moet schieten. Dat vind ík nou heel erg vervelend. Moet ik dan toestemming vragen om even naar Kim te gaan? Mam, dat is echt onzin. Ik zit op de middelbare school. Stel dat ik naar Kim ga en ik kom onderweg Hugo tegen. Moet ik dan ook vragen of ik even met hem mag praten. Mam, dat is toch belachelijk.'

Mama kijkt voor zich uit. Opeens begrijpt Celeste het. 'Je hebt de buurvrouw gesproken,' zegt ze. 'En eh... die brievenbus staat niet in het bos.'

Mama knikt. Ze glimlacht even. 'Ik heb nog nooit een brief in het bos gepost.' Celeste denkt even na. Ze wil absoluut niets over de brommer vertellen. Dat hoeft ook niet want die vrouw heeft haar alleen met Hugo gezien en niet op de brommer.

'Jij wilde niet dat ik 's avonds weg zou gaan.'

'En daarom verzin jij een smoes?' Mama's stem klinkt verwijtend.

Celeste heeft helemaal geen zin om ruzie met mama te maken. 'Ik ben verliefd,' zegt ze zachtjes. 'Dat is best eng. Ik weet het ook niet zo goed.' Mama slaat haar arm om Celeste heen en drukt haar even tegen zich aan. Nu moet ik met een goed voorstel komen, denkt Celeste.

'Zullen we afspreken dat ik om halfzes thuis ben voor het avondeten?' zegt ze. 'Dan kan ik 's middags even bij Kim huiswerk maken zonder dat je ongerust bent. 's Avonds door de week ben ik om halfnegen thuis en in het weekend voor tien uur.' Celeste staat op.

'Goed,' zegt mama. 'Laten we dat dan maar proberen.'

Voordat mama nog iets kan vragen loopt Celeste naar boven. Halverwege de trap bedenkt ze zich. 'Kim komt vrijdag ook oppassen,' roept ze. 'Mag ze blijven slapen? Dan hoeft ze niet nog laat naar huis te fietsen.'

14.

Vrijdagavond zijn Celeste en Kim precies om halfacht bij de familie Kok. Nog voordat Celeste op de bel gedrukt heeft, doet mevrouw Kok open.

'Hallo mevrouw,' groet Celeste. 'Dit is Kim. U heeft gezegd dat ik een vriendin mocht meenemen. We komen samen oppassen.'

'Ja, prima,' zegt mevrouw Kok. 'Kom binnen.'

Ze geven mevrouw Kok een hand. Mevrouw Kok draagt een lange avondjurk met glittertjes. 'Het is net stil boven,' zegt ze. 'De tweeling slaapt meestal door.' De bordercollie loopt kwispelend naar de kinderen toe.

'Wat een lieve hond,'zegt Kim. 'Hoe heet hij?'

'Bruno. Lopen jullie even mee?' Mevrouw Kok doet de keukendeur open. 'In de koelkast staat fris,' zegt ze. 'En een appeltaart. Lusten jullie een stukje?'

'Ja hoor,' zegt Celeste.

'Willen jullie nog even de afwasmachine inruimen? De pannen mogen niet in de machine. Het is altijd zo hectisch voordat de tweeling erin ligt.'

Zonder antwoord af te wachten gaat ze voor naar de woonkamer. Meneer Kok zit op de bank tv te kijken.

'Dag meneer,' zeggen Celeste en Kim beleefd.

'Je hebt een blauwe en een zwarte sok aan,' zegt mevrouw Kok tegen haar man.

'Gaan we nou nog?' vraagt hij.

'Twee verschillende kleuren, dat kan echt niet,' zegt mevrouw Kok nog een keer. Meneer Kok staat op en loopt de kamer uit. Door de openstaande deur van de woonkamer ziet Celeste dat hij de trap op gaat.

'Wat moeten we doen als de tweeling wakker wordt?' vraagt ze.

'Even praten, laat ze een plas doen en iets drinken,' antwoordt mevrouw Kok. 'We zijn rond halfelf thuis. Dit is mijn mobiele nummer.' Ze legt een briefje op de tafel. Celeste geeft haar nummer ook. Buiten horen ze de claxon.

'Ik ga gauw. Mijn man zit al in de auto.' Ze haast zich naar buiten.

De auto rijdt de straat uit. 'Ik hoor boven geroep,' zegt Kim. Celeste loopt snel de trap op. 'Mama, mama,' klinkt er uit een van de kamers. Celeste doet zachtjes de deur open. In de kamer staan twee kinderbedjes met spijlen. Een blond meisje en een blond jongetje staan rechtop in bed. Het jongetje wijst naar een knuffel op het kleed. 'Pakken!' roept hij verdrietig. Als het meisje Celeste en Kim ziet, begint ze keihard te huilen.

'Zal ik mevrouw Kok even bellen?' vraagt Celeste.

'Dat kun je niet maken,' zegt Kim. 'We troosten haar wel.'

'Slaap kindje slaap,' zingt Kim.

Celeste geeft de knuffel aan het jongetje en stopt hem lekker in.

'Drinken,' zegt het jongetje.

'Ja hoor.' Celeste loopt naar beneden. In de koelkast vindt ze aanmaaklimonade. Ze zet de appeltaart vast op het aanrecht en maakt een glas klaar. Ze neemt het drinken mee naar boven. Het jongetje klokt de hele beker leeg.

'Ga maar lekker slapen,' zegt Celeste en stopt hem weer in.

'Plassen,' zegt hij zachtjes.

'Is het echt nodig, denk je?' vraagt Celeste aan Kim.

'Doe maar wel,' zegt Kim. 'Straks plast hij alles onder.'

Celeste tilt hem uit zijn bed en loopt mee naar de wc. Even later ligt hij er weer in. Het meisje krijgt ook te drinken en moet ook een plas doen. Kim leest nog een boekje voor over een konijn. Na een tijdje is het stil. Zachtjes lopen ze de kamer uit.

'Tijd voor een glaasje cola en appeltaart,' zegt Celeste met een zucht. In de keuken staat een lege schaal. Waar is de appeltaart gebleven? Bruno duwt zijn snuit tegen haar been en kwispelt.

'Dag taart,' zegt Celeste.

'Leuke hond, hoor,' moppert Kim. 'Laten we dan de afwas maar even doen.'

Kim ruimt de afwasmachine in. Celeste wast de pannen af. 'Mevrouw Kok heeft de macaroni aan laten bakken,' zegt ze mopperend.

'Hoe vond jij die lange jurk?' vraagt Kim.

'Best cool,' zegt Celeste.

'Misschien heeft ze nog meer mooie jurken?'

Celeste raadt haar gedachte. 'Dat kun je toch niet maken!' zegt ze.

'We ruimen de hele keuken op, dan mogen we best even in haar kast kijken,' vindt Kim.

Ze sluipen zo zacht mogelijk de trap op. Celeste luistert even bij de deur van de tweeling. Het is stil. Ze openen een andere deur. In de slaapkamer staat een tweepersoonsbed en een grote kast met een spiegel. Kim doet de klerenkast open. Celeste giechelt, ze weet niet zeker of dit wel een goed plan is.

'Ik voel me net een inbreker,' zegt ze. Kim houdt een chique jurk van fluweel omhoog. Ze vindt er zwarte pumps bij. 'Even passen...'

'Nee,' zegt Celeste. 'Ik vind het niet kunnen.'

Kim kijkt haar verstoord aan. 'Jij bent altijd zo braaf. De tweeling slaapt, Bruno heeft onze appeltaart opgegeten en...'

Celestes mobiel gaat. Snel pakt ze hem op. 'Ja, het gaat prima,' zegt ze. 'Ze slapen als roosjes.' Ze bergt het toestel op. 'Mevrouw Kok informeert naar haar lieve kindertjes,' zegt Celeste. 'Hang alsjeblieft die kleren terug. Straks komen ze nog eerder thuis.'

Kim hangt de deftige jurk terug. 'Mijn moeder heeft zulke saaie kleren,' zegt ze.

Celestes mobiel gaat weer. 'Wie is dat?' vraagt Kim.

'Naomi,' antwoordt Celeste verbaasd. Ze luistert naar de opgewonden stem van Naomi. Opeens is de verbinding verbroken. Celeste staart naar haar toestel.

'Waarom belt ze?' vraagt Kim nieuwsgierig. Celeste gaat op de rand van het grote bed zitten.

'Of we het alsjeblieft goed vinden dat ze vanavond bij ons is en blijft slapen. Niet echt maar net alsof. Dus als haar moeder belt moeten we zeggen dat ze hier is.'

'Waarom?'

'De verbinding werd verbroken.'

'Typisch Naomi.'

'Ik zal haar nog even bellen.' Celeste zoekt het nummer op. Nadat de telefoon een paar keer is overgegaan, krijgt ze Naomi's voicemail.

'Wat vind jij?' vraagt ze aan Kim.

'Ik weet het niet.'

Weer gaat haar mobiel. 'Hoi mam,' zegt Celeste. 'Ja, het gaat prima. We zitten rustig tv te kijken.' Ze geeft Kim een knipoog. 'Of Naomi bij ons is?' herhaalt Celeste. Plotseling voelt ze haar hart sneller kloppen. Wat moet ze nu zeggen? Kim knikt naar haar. 'Ja,' zegt Celeste.

'Dan is het goed,' zegt mama. 'Haar moeder belde me net. Ik wist niet dat jullie met zijn drieën afgesproken hadden. Hoe laat zijn jullie thuis?'

'Halfelf, het kan ook iets later worden,' verzint Celeste. 'Ik vertel morgen wel hoe het geweest is. Welterusten.'

'Kom je wel even een kus geven als we er al in liggen?'

'Natuurlijk mam.' Celeste stopt haar mobiel in haar broekzak.

'Je hebt een rood hoofd,' zegt Kim lachend.

'Pff,' zucht Celeste. 'Ik wil niet liegen tegen mama, maar Naomi kan ik toch ook niet verklikken.'

'Dat heet een moreel dilemma,' zegt Kim. 'Mevrouw Bruins had het ook over zoiets.'

'Het zal wel.'

Ze gaan beneden tv kijken. Celeste heeft haar aandacht niet bij de film. Waarom is Naomi niet thuis? Waar is ze? Ze probeert haar nog een keer te bellen. Naomi neemt niet op. Misschien weet Sam het wel? Ze toetst zijn nummer in.

'Sam neemt ook niet op,' zegt Celeste. 'Laatst kwam ik trouwens Levi, zijn neef, tegen. Hij is echt een macho, niet echt mijn type.'

Bruno spitst zijn oren en loopt kwispelend naar de deur. Ze horen de sleutel in het slot. Kim gaat rechtop zitten. Mevrouw en meneer Kok komen binnen.

'Hoe ging het?' vraagt mevrouw Kok. 'Supergoed,' antwoordt Celeste.

'Ze zijn wel even wakker geworden, maar we hebben precies gedaan wat u zei,' zegt Kim.

Mevrouw Kok betaalt Celeste. 'Het is iets later geworden,' zegt ze.

'Geeft niets.' Celeste stopt het geld in haar broekzak.

'Zal ik jullie even naar huis brengen?' vraagt meneer Kok.

'Dat hoeft echt niet,' zegt Celeste. 'We zijn er zo en Kim blijft bij me slapen.'

Ze zeggen gedag en lopen naar het huis van Celeste. Boven brandt geen licht meer, ziet Celeste. Haar ouders slapen al.

'Even afmelden,' zegt ze tegen Kim. Ze doet de deur van haar ouders slaapkamer open. 'Welterusten mam.'

'Slaap lekker lieverd,' zegt mama slaperig. Papa knort nog wat op de achtergrond.

Celeste en Kim poetsen hun tanden in de badkamer en trekken pyjama's aan.

In Celestes slaapkamer liggen twee extra matrassen met slaapzakken en een stapeltje handdoeken. Mama heeft alles netjes klaargelegd. Celeste gaat op de rand van haar bed zitten. Ze voelt zich toch beroerd omdat ze net gedaan heeft of Naomi ook komt logeren. Wat moet ze morgen zeggen?

'Is Coen al thuis?' vraagt Kim.

'Ja, hij moet zaterdag voetballen en dan wil hij vroeg slapen,' antwoordt Celeste. Haar mobiel gaat weer.

'Wie belt jou zo laat?' vraagt Kim giechelend. 'Is dat misschien...'

'Sam, waar ben je?' vraagt Celeste. Haar stem klinkt geschrokken. 'Wat?' Ze drukt de mobiel tegen haar oor. 'Naomi? Hoezo? Oké, we komen.'

Kim zit rechtop in haar slaapzak. 'Wat is er gebeurd?'

Celeste knijpt van schrik zo hard in haar mobiel dat de knokkels van haar hand wit worden.

'Een heel verward verhaal.'

'Is Sam dronken of zo?'

'Weet ik niet. Ik hoorde muziek. Iets over zijn neef. Hij mag er niet in. Naomi is met Levi wel de sporthal binnengekomen. Je weet wel, bij het feest met die DJ Johni. Of we willen komen.'

'Nu?'

'Ja, wanneer anders?'

15

Kim gaat naast Celeste op bed zitten. 'Ben je helemaal van lotje getikt. Het is al halftwaalf,' zegt ze. 'Het fietspad loopt door het bos. Ik ga echt niet midden in de nacht fietsen.'

'Ik heb het Sam beloofd.' De stem van Celeste klinkt angstig. 'Er is iets met Naomi. Ik heb tegen mama gezegd dat ze bij ons is. Snap dat dan. Ik voel me heel erg schuldig. Stel dat haar iets overkomt. Met Naomi weet je het nooit...'

'Rustig maar,' zegt Kim zachtjes. 'We bellen Jan en Hugo en vragen of ze met ons meegaan.' Ze wacht de reactie van Celeste niet af en toetst het nummer van Jan in.

'Jan ligt vast al te slapen,' mompelt Celeste. 'En mijn balletje honkbal heeft morgen natuurlijk weer een wedstrijd.'

'Sst, hij neemt op,' zegt Kim en ze gebaart dat Celeste haar mond moet houden.

Ze legt in een paar woorden de situatie uit. 'Meer weet ik ook niet.' Het is even stil. 'Jan overlegt met Hugo,' zegt Kim dan. 'Ze kijken samen een film bij Hugo thuis. Zijn ouders hebben ergens een feestje.' Ze praat verder met Jan. 'Ja, is goed. Tot zo.' Ze sluit het gesprek af. 'Over tien minuten bij het huis van Hugo, net als iedere morgen voor school.'

'Cool dat de jongens met ons meegaan,' zegt Celeste. 'Probleem is wel dat mama wakker wordt van iedere mug. Ze hoort ons zeker weten als we de trap afgaan. Ze was net nog wakker.'

Kim heeft haar pyjama al voor haar spijkerbroek verwisseld. Ze doet zachtjes de balkondeur open. Het is een heldere avond. 'Pubers klimmen uit ramen en langs regenpijpen,' zegt ze giechelend.

Celeste komt naast haar staan. Ze heeft nooit op de regenpijp langs haar balkon gelet. Zou ze er af kunnen klimmen? Waarom niet? Ze heeft de puberverhalen over meiden die uit huis ontsnap-

pen altijd onzin gevonden. Waarom zou je dingen doen tegen de zin van je ouders in? Opeens voelt ze zich er midden in zitten. Sam heeft haar gebeld, er is iets met Naomi en Hugo en Jan staan op hen te wachten. 'We doen het gewoon.'

Celeste slaat haar been over het balkon, pakt de regenpijp stevig vast en zoekt steun op de richel waar de pijp aan de muur bevestigd is. 'Doe het licht in mijn kamer even uit,' zegt ze zachtjes, 'en duw de balkondeur goed dicht.'

Even later fietsen ze door de stille straten van het dorp. Hugo en Jan staan al klaar. 'Mazzel,' zegt Hugo. 'Mijn honkbalwedstrijd morgen is afgelast.'
'Wat is er met Sam? Hoe laat belde hij?' vraagt Jan. 'Er klopt iets niet.'
'Vanmiddag hoorde ik pas dat de wedstrijd niet doorging,' zegt Hugo weer. Celeste glimlacht. Honkbal staat met stip op nummer een voor Hugo. Zelfs midden in de nacht. Jan is altijd met anderen bezig.
'Eerst belde Naomi me,' vertelt Celeste. 'Ze heeft me niets gezegd over het feest en...'
'Naomi mag toch niet naar binnen,' valt Jan haar in de reden. 'Het feest in de sporthal is voor boven de zestien. Je moet vast je ID-kaart laten zien. Dat is met popconcerten ook zo.'
'Ze is waarschijnlijk met Levi, die neef van Sam mee,' zegt Celeste. Sam belde me om ongeveer halftwaalf. Hij was helemaal in paniek. Ik begreep het niet zo goed. Er was dus iets met Naomi. Er klonk knalharde muziek op de achtergrond.'
'Een vaag verhaal,' vindt Hugo.
'We zien wel,' zegt Jan.
Celeste weet zeker dat Sam niet voor de lol belde. Zelf heeft ze vaak commentaar op Naomi, maar ze zal haar nooit in de steek laten. Naomi is gewoon eh... Naomi.
Ze fietsen langs het bos, dit deel van de weg is heel donker. 'Grr,' fluistert Hugo.
Celeste schiet in de lach. 'Zie je de wolf in het donkere bos?'
Ze is best blij dat de jongens met hen meefietsen. Wat had ze anders moeten doen? Haar ouders wakker maken? De moeder van Kim bellen? Nee, ze wil het zelf oplossen.

Buiten de sporthal is de muziek nog behoorlijk hard. Voor de ingang is het druk met jongelui. Sam staat zijn vrienden op te wachten. In het licht van een lantaarnpaal ziet hij er moe en bleek uit. 'Het is hopeloos,' zegt hij. Zijn stem klinkt angstig. 'Die lui met die jasjes aan zijn bewaking. Ik kom er niet in. Ze controleren je ID-kaart.' Sam wrijft in zijn ogen.

'Hoe is Naomi dan binnengekomen?' vraagt Celeste.

'Met Levi mee. Hij heeft wat geregeld.'

Celeste kijkt naar Sam. Er is iets dat hij niet wil vertellen. 'Waarom is Naomi met je neef mee?' vraagt ze.

'Het komt door de brommer,' antwoordt Sam. 'De rest vertel ik later wel.'

'Je weet toch dat je gecontroleerd wordt,' zegt Jan. 'Hoe wil je naar binnen?'

'Naomi zou voor mij de deur van de nooduitgang openmaken,' antwoordt Sam. 'Je bedoelt die deur naast de kleedkamers,' zegt Celeste. 'De nooduitgang kan alleen van binnenuit opengemaakt worden.'

Sam knikt. 'Ik probeer haar steeds te bellen, maar ze neemt niet op en ze doet de deur niet open. Ik heb haar ook al tien keer een sms'je gestuurd.'

'Misschien is haar telefoon gestolen,' zegt Hugo.

'Het is veel erger,' zegt Sam. 'Naomi is weg.'

'Als ze binnen is kan je neef haar toch wel vinden,' zegt Jan.

'Levi heeft te veel gedronken,' zegt Sam. 'Een vriend van hem zegt dat hij halflam rondloopt. Met Levi wil ik geen ruzie krijgen. Wat moet ik nou? We komen er toch niet in…'

Hugo bekijkt de situatie eens goed. Voor de ingang ziet hij twee stevig gebouwde mannen met jasjes aan staan. Verderop staan jongelui te roken. Een paar jongens en meisjes laten hun ID-kaart zien en mogen dan naar binnen. Een jongen wordt zelfs gefouilleerd. Plotseling klinkt er geschreeuw. Een paar grote jongens worden naar buiten geduwd. Een lange jongen wordt door een man in een jasje stevig vastgehouden.

'Dat is Levi,' zegt Sam.

'Nu,' beslist Hugo. 'Niet omkijken, doorlopen.' Hij pakt de hand van Celeste en trekt haar mee. Binnen een paar seconden staan ze alle vijf binnen. Tussen de jassen van de garderobe wachten ze even.

'Ik tril van de schrik,' zegt Celeste. Ze ziet haar hand heen en weer bewegen. 'Levi is eruit gegooid,' zegt Sam geschrokken. 'Ik had Naomi nooit met hem mee moeten laten gaan.'

'Kom, we gaan Naomi zoeken,' zegt Hugo.

De muziek klinkt zo hard dat ze elkaar nauwelijks kunnen verstaan.

'We komen hier terug bij de jassen,' zegt Jan nog snel.

'Ik blijf bij jou.' Kim pakt Celeste bij haar arm vast.

'We kijken eerst even op de toiletten,' beslist Celeste.

Op de wc schijnt een blauwig licht. Celeste en Kim blijven bij de deur staan. Voor de spiegel staan twee meisjes zich op te maken. Ze dragen beiden een topje met spaghettibandjes. Een meisje kijkt hun kant op. 'Ben je je moeder kwijt?' zegt ze lachend. Celeste schaamt zich kapot. Ze voelt zich zo vreselijk kinderachtig en klein.

'We zoeken Naomi,' zegt Kim. 'Ze heeft donker haar, waarschijnlijk draagt ze het opgestoken.'

Het andere meisje trekt een paar wc's open. 'Leeg. We staan hier al een tijdje,' zegt ze giechelend. 'Even bijkomen, het is waanzinnig druk. Er was net ruzie,' vertelt ze. 'Best eng. We zijn even weggevlucht in het toilet.'

Celeste trekt Kim mee. 'Oké, bedankt. Kom, we kijken verder.'

'Succes!' roepen de meiden.

In de grote zaal klinkt de muziek zo luid dat ze elkaar niet kunnen verstaan. Op het podium staat DJ Johni. In de zaal swingen meiden en jongens. Ze blijven even staan kijken. Best cool, zo'n echt DJ, vindt Celeste. Ze trekt Kim aan haar arm mee richting de bar. Ze lopen een rondje en kijken ondertussen goed rond. In de verte zien ze de jongens. Hugo steekt zijn hand op als teken dat ze nog niets van Naomi gezien hebben.

'Hallo jongedames, mag ik even jullie ID-kaarten zien?' Een man met een jasje aan blijft vlak voor Celeste staan. Kim trekt haar

vriendin snel mee. Ze glippen langs wat lui die in de rij voor de
bar staan en duiken weg achter een muurtje. 'Dat overkomt ons
weer. We worden er zo uitgezet,' zegt Kim hijgend. 'En Naomi
dan?' vraagt Celeste zichzelf hardop af.
'Ze heeft vast make-up op, haar haren opgestoken en ze draagt
pumps van haar moeder,' fluistert Kim. 'Dan lijkt ze algauw zestien.'
Celeste knikt. 'Wat moeten we nou doen?' Ze voelt zich behoorlijk
hopeloos. 'Waarom neemt Naomi haar mobiel niet op?'
Kim pakt haar mobiel en toetst het nummer van Celeste in. 'Hoor
jij je mobiel?' Celeste schudt van nee.
'Logisch, die muziek dreunt dwars door je heen.'
'We vragen het aan de bar,' beslist Celeste. Ze sluit aan in de rij.
'Wat wil je?' De man achter de tap kijkt Celeste vragend aan.
'Twee cola,' zegt Celeste. Ze is blij dat ze het oppasgeld in haar
zak gestopt heeft. 'Hebben jullie een meisje met donker haar
gezien?'
De man trekt zijn schouders op als teken dat hij geen idee heeft.
'Laat je glas niet staan,' zegt hij en neemt de volgende bestelling op.
Celeste neemt de glazen mee naar Kim.
'Wat zei die man?'
'Laat je glas niet staan.'
'Hoezo?'
'Coen heeft me het een keer verteld,' roept Celeste in Kims oor.
'Er zijn lui die er troep in gooien. Een soort drugs. Dan ben je
helemaal van de kaart. Je kunt zelfs in coma raken.'
Kim drinkt snel haar glas leeg.
Celeste probeert na te denken. Is Naomi zo de kluts kwijt dat ze
Sam niet heeft gebeld? Ligt ze ergens in coma? 'We gaan weer
zoeken,' beslist ze.
In de verte zien ze de jongens staan. Ze praten met een bewaker.
Zijn die twee gesnapt? Celeste herkent de man aan zijn snor.
'Conciërge Bas,' zegt ze geschrokken. 'Meneer Bas is ook van de
beveiliging!'
'Wegwezen,' zegt Kim. 'Hij zet ons er alle vijf uit.'

Meneer Bas heeft de meisjes gezien en wenkt ze dichterbij te komen. Celeste durft niet te vluchten. Dan krijgt ze echt problemen, weet ze.

'Meelopen,' zegt meneer Bas streng.

'Weet hij waar Naomi is?' fluistert Celeste.

Hugo knikt.

Meneer Bas heeft een sleutelbos aan zijn riem hangen. Hij opent een deur. Ze lopen de gang in van de kleedkamers. Meneer Bas staat stil bij een deur. 'Deze jongedame was een beetje in de war,' zegt hij. 'Van de kaart noemen jullie dat, geloof ik. We hadden net een opstootje en moesten er een paar gasten uitzetten. Ik had even geen tijd voor haar.' Hij opent de deur. Naomi zit op de grond en kijkt versuft voor zich uit. 'Ik heb alleen cola gedronken,' zegt ze huilend. Ze wrijft in haar ogen. Haar mascara is uitgelopen en haar haar hangt vanuit haar knotje in slierten omlaag. 'Hé, kleine pandabeer.' Sam slaat zijn arm om Naomi heen. 'Had je me niet even kunnen bellen?'

'Ik weet helemaal niets meer,' zegt Naomi.

'Wat is er precies gebeurd?' zegt meneer Bas streng. 'Ik neem aan dat jullie hier illegaal binnen zijn. Het feest is voor boven de zestien. Zal ik jullie ouders maar even bellen of willen jullie door de politie worden thuisgebracht?'

Naomi barst in snikken uit. Sam kijkt verschrikt op. 'Nee, nee, dan kan ik niet meer thuiskomen. Mijn neef...' Hij slikt de laatste woorden in.

'Wacht even,' zegt Celeste. Opeens weet ze precies hoe het tussen hen zit en wat ze moet doen. Een gevoel dat het begin en het einde past. De cirkel is rond. 'We zijn vrienden,' zegt ze. 'Een van ons heeft een probleem. Ook al wisten we niet precies wat er gebeurd is, we wilden haar wel helpen.'

Niemand zegt iets. Flarden muziek komen het kamertje in. Meneer Bas knikt begrijpend. 'Ja,' zegt hij. 'Daar gaat het uiteindelijk wel om. Kunnen jullie samen naar huis gaan?'

'We brengen de meisjes netjes thuis,' verzekert Hugo hem.

'We logeren bij elkaar,' zegt Kim gauw.

Naomi veegt met haar hand langs haar neus. 'Het lijkt wel of er met een hamer op mijn hoofd wordt geslagen,' zegt ze.

Meneer Bas pakt zijn portefeuille uit zijn binnenzak en pakt een stripje aspirientjes. 'Heb ik altijd bij me,' zegt hij. 'Waarschijnlijk heb ze iets verkeerds in je drankje gedaan, want zo te ruiken heb je geen alcohol op.'

'Meneer, ik heb echt alleen cola gehad.'

'En nu allemaal meelopen, jongelui', zegt meneer Bas. 'Jullie gaan rechtstreeks naar huis. En maandag op tijd op school,' zegt hij met een knipoog. Hij loopt mee door de ingang naar buiten.

Het is uitgestorven op straat. Ze fietsen met z'n vijven naast elkaar op het fietspad. Naomi zit achterop bij Sam.

'Meneer Bas is echt aardig,' zegt Kim.

'Ik heb nog steeds hoofdpijn,' klaagt Naomi.

'Waarom ben je met Levi meegegaan?' vraagt Celeste.

'Wil jij het zeggen?' De stem van Naomi trilt een beetje terwijl ze Sam nog wat vaster omklemt.

'Levi wilde me verlinken,' zegt Sam. 'Als mijn ouders weten dat ik op een brommer rijd, krijg ik wel een jaar huisarrest. Voor een brutale mond moet ik al een avond thuisblijven. Toen zocht Levi een date voor het feest. Hij vroeg of ik een leuk meisje kende. Ik zei: "Op voorwaarde dat je niets over de brommer zegt." Naomi wilde graag naar DJ Johni. Dus dat was snel geregeld.'

'Het was eerst best spannend,' zegt Naomi. 'Ze dachten echt dat ik zestien was.'

Ze lacht weer haar vrolijke en stoere lach. 'Eerst was alles gezellig. Lekker drankje gedronken, beetje swingen. Toen kreeg Levi ruzie. Ik was best bang en probeerde Sam te bellen. Ik zou de deur voor Sam opendoen. Je weet wel, de nooduitgang. Opeens zag ik alles dubbel. Ik was echt misselijk. Daarna weet ik niets meer.'

'Wat erg,' zegt Celeste. 'Dus je bent meegegaan omdat je Sam wilde helpen?'

'Ze hoefde voor mij niet naar het feest,' zegt Sam snel. 'Naomi wilde zelf DJ Johni zien.'

'Ja, cool toch. Ik heb gewoon tegen mama gezegd dat ik bij Celeste ging logeren.'

'Wil je me nooit meer in iets betrekken zonder dat ik ervan af-weet?'

'Sorry,' zegt Naomi gemeend.

Ze komen langs Hugo's huis. 'Vet geluk, de auto staat nog niet op de oprit,' zegt Hugo. 'Mijn ouders maken het lekker laat. Kunnen wij rustig gaan pitten.'

'Moeten we nog even met jullie meerijden?' vraagt Jan.

'Ik kom er wel in,' zegt Sam. 'Mijn vader slaapt als een walrus.'

'We zijn kampioen regenpijp klimmen,' zegt Celeste. 'En mama rekende toch al op Naomi.'

Op maandag hebben Celeste en Kim het laatste uur mentorles. Mevrouw Bruins heeft het over gelijke behandeling. 'Ieder kind heeft het recht om naar school te gaan,' zegt ze. De hele klas knikt instemmend. Celeste hoort haar stem wel, maar verstaat niet wat ze zegt. Ze zit onderuit en steunt met haar hoofd op haar armen. Haar gedachten zijn weer bij het weekend. De terugtocht via de regenpijp ging redelijk soepel. Coen werd wakker en scheen met zijn zaklamp uit het raam. Gelukkig heeft hij mama en papa niet wakker gemaakt. Coen vond de actie van Celeste en Kim wel grappig. Hij heeft beloofd zijn mond te houden.

Toch is Celeste wat blij dat het goed is afgelopen. Achteraf had ze mama misschien toch moeten waarschuwen... Eigenlijk wil ze thuis niet meer liegen.

Je geeft om je ouders en je wilt ze geen pijn doen of voorliegen. Maar je geeft ook veel om je vrienden. En je vrienden moeten nog van hun fouten leren... Het gaat niet om goed of niet goed, denkt Celeste dan. Het gaat om het juiste te doen op het juiste moment. In dit geval was dat haar vrienden helpen.

'Celeste,' klinkt de stem van mevrouw Bruins. 'Even bij de les blij-ven. Heb je soms een zwaar weekend gehad?'

'Nee, een moreel dilemma,' flapt Celeste eruit.

Kim, Hugo en Jan proesten van de lach.